삶에 지쳐 식어버린 __________의 마음에게...

그동안

참

고생 많았어요.

네 마음의 온도가

37.5도였으면 좋겠어

BOOKK

CONTENTS

2. 소소한 행복이 당신 곁에 늘 머무르길 - 65

3. 식어버린 마음엔 달콤한 사랑 두 스푼 - 122

4. 인생의 계절이 겨울이어도 꽃은 피어나니 - 177

프롤로그

어쩌면 말이야.
네가 맨 처음 이곳으로 온 날
그러니까 네가 태어나던 그날
세상은
너를 반기기 위한 축제의 준비로 아주 많이 바빴을지도 몰라.

태양은 어둑한 구름을 몰아내느라
그리고 꽃과 나비는 네가 머물 곳을 예쁘게 장식해 놓느라
또 그걸 본, 곁에 있던 아름드리나무는 두 팔 벌려 널 환영하느라
바람에게 자신의 매무새를 가다듬어 달라 부탁했을지도 모르지.

아! 그리고 조금은 늦을 걸 알면서도 언젠가는 힘이 들지도 모를 널 위해 저 멀리 우주에 있는 별 하나는 있는 힘껏 그 빛을 네게 보냈을지도 몰라.

음... 만약 겨울이었으면 눈이 왔을지도 모르겠다.
네가 머물 곳에 소복이 내려앉아 하얗고 깨끗한 세상을 선물하고 싶었을지도, 참 수줍게도 말이야. 그래, 그리 수줍게 그리고 조심히 네게 전하고 싶었을지도 몰라. 혹 춥고 시린 날이 덮쳐 널 힘들게 하더라도 그래도 이곳은 한번 살아볼 만한 따뜻한 곳이라는걸.

하지만 그럼에도 넌 두려워할지도 몰라. 해서 그런 널 위해 구름은 곁에 있는 달님께 포근한 빛 하나를 부탁했을지도...
어여쁜 그 빛을 잘게 다져 풀잎에 올려놓고선 어느 날엔가 너의 시간이 어둑해질 때 헤매지 않고 네 길을 잘 걸어갈 수 있도록 부디, 그렇게 말이지.

만약 하늘이 짓궂게도 번개나 비바람을 보냈어도 그 또한 선물이었을 거야. 결코 널 미워해서가 아니라... 네 삶에 혹시 드센 것이 찾아오더라도 꿋꿋이 이겨내란 남다른 응원이었을 거야. 시련은 네 삶의 무언가를 빼앗기 위함이 아닌 너를 그리고 네 생을 더욱 단단히 채워 줄 특별한 순간인 거니까. 그래 맞아, 너를 키울 자양분

인 거야. 그러니 잊지 말렴. 그런 순간순간들이 결국엔 너를 완성시킬 거라는걸. 해서 넌 그럼에도 결국 아름답게 피어날 거라는걸.

너는 그런 존재란다.
그렇게 소중한, 세상의 열렬한 환영을 받으며 그리 아름답게 태어난 고운 사람.

그러니...
아프지 마.
아프게 하지 마.
소중히 대해 줘.
너와 네 곁의 그들도 함께 말이야.

축복받은 우리니까
당연히 행복해야 할 우리니까
지금 받은 이 삶은 분명 선물일 테니까.

그러니까
기쁘게 살자고.
기뻐 날뛰어도 모자란 게 삶이니까.
사랑하고 사랑받으며
때론 위로하고 위로받으며
그렇게 따스하게
그렇게 찬란히 말이야.

더불어
수수한 나의 이 위로가 부디 네게도 닿길...

- 비 내리는 어느 겨울,
웅크리고 있을지도 모를 너에게
소소가...

1. 당신의 삶이 따뜻해지길 바라요

가끔 그런 날이 있어요.
불현듯 내 삶에 불청객이 찾아오는 그런 몹쓸 날이요.
그럴 때면 으레 불안에 휩싸여
하루하루가 휘청대고는 합니다.

게다가 참 모질게도 그 불행은 아무런 말이 없어요.
언제까지 머물지
또 얼마나 날 아프게 할지
조금이라도 알려주면 좋으련만...
그저 버티라고만 하죠.
참 못됐어요, 정말.

그래도요,
그래도 당신이라면 해낼 수 있을 거예요.
그 정도는 이겨낼 수 있으니까 그것이 찾아왔을 거예요.
그리고 당신의 시간에 맞게
그 불행은 또 어느 날 갑자기 불쑥
사라질 겁니다.

그러고는 알게 되죠.
불행이 남긴 선물엔 더욱 단단해진 나 자신이 있다는 것을...
또한
결국엔 내 삶을 견고히 채워주기 위해 온
귀한 손님이었다는 것도...

안부

마음아, 넌 괜찮니?
이제야 널 챙긴다.
미안...

너에겐 아무런 잘못이 없어

네 탓이 아니라
오늘이 그저 그런 날인 것뿐이야.

네가 부족하거나 잘못이 많아 그 일이 네게 생긴 게 아니라
네 생에 꼭 거쳐야 하는 나날 중 하나가
지금 온 것뿐이라고...

그러니
자책하지 말렴.
지금 네 곁에 머문 그 바람은
결국엔 너를 스쳐 지나간단다.

굳은살

압력이 가해지면 굳은살이 생기잖아.
그러다 그 살이 아무렇지 않게 느껴지면
그건 이제 내 삶의 일부가 된 거고.

뭐, 힘듦도 그런 거 아닐까?

내 마음에 굳은살 하나 덧붙이는 작업.
지금의 아픔이 아무렇지 않게 되는 과정.
해서 삶이 더욱 견고해질 기회.

달팽이

내 인생의 속도는 달팽이야.
쪼금...
아주 쪼끔, 쪼끔씩 가고 있지.
어쩔 땐 뒤로 후퇴해 다시 원점이 되기도 해.
느려, 그것도 아주 많이.
그래서 답답하단 소리도 종종 들었지만
그럼 어때?
느리기에 내가 가야 할 곳을 알았는걸?
느리기에 많은 걸 보고, 더 깊이 배울 수 있었어.
그래서 난 오늘도 가고 있지.
느리지만 반드시 도착할 내 삶의 목적지로...

모자람

그대여
모자람에 힘겨워하지 마라
그것은 삶의 양면을 볼 수 있는 여유이고
채울 수 있는 기회이자 열정이며
그로 인해 당신이 빛날 수 있는 선물일 테니.

손톱

우리 모두는 언젠간 깎여
근데 그거 알아?
깎여야 또 자란다
깎여야 또 예뻐져

결국 인생도 깎여야 완성돼.

재료

매일이란 재료를 모아
맛있게 조리해
인생이란 요리를 탄생시켰거든.

근데
온갖 맛이 다 느껴지는 거 보니
나, 그럭저럭 열심히는 살았나 봐.

앞으로도 요리는 계속될 거야.
어찌 조리하느냐에 따라
그 요리들도 달라질 거고.

때론 심심하니 아무 맛도 없을 때도 있고,
또 때론 너무 달달할 때도 있을 거고,
뭐 어쩔 땐 눈물 쏙 빠질 만큼 매울 때도 있겠지.

어쩜 한 번도 경험해 보지 못한
새로운 요리가 탄생될지도 모르겠다.

그래,
그래서 기대돼.
앞으로의 내 삶이...

소소한 한마디 - 나의 달팽이에게

가끔은요, 내 인생이 너무 느린 것 같아 참 속상할 때가 있어요. 남들은 이미 내 곁을 스쳐 저 멀리 앞서가고 있는데 어쩐지 난 항상 뒤처지는 것 같고, 아무리 달려도 제자리인 것만 같고... 그래서 나 자신이 참 못나 보이기도 해요. 게다가 유독 나에게만 더 높은 장애물들은 또 뭐람... 절로 숙여지는 고개에 한숨으로 답답함을 토해내지만 사실 알고 있는걸요. 나만 힘든 건 아니란 것을... 해서 지치지만 또 어지러운 나의 세상에 오늘도 발을 들여놓습니다. 세상은 원래 힘든 거라고, 힘들기에 인생인 거라고 가슴속에 새기면서 그렇게 말이죠. 어느새 이런 슬픈 위로가 익숙해져 버렸다니... 어쩐지 내 마음이 더욱 식어지는 것 같아 괜히 더 씁쓸해져요. 그래도 있죠. 결국 힘을 내야 하는 건 나 자신이라는 것 또한 잘 알고 있어요. 그러니 오늘은 용기를 내어 내가 나에게 다가가 보려 해요. 아주 다정히, 다치지 않게 조심조심...

느리면 좀 어때?
어쨌든 나아가고 있는데.
멈췄어도 어때?
이참에 조금 쉬었다가 다시 가면 되지.
인생 전체를 보면 지금이란 시간은 아주 잠시인걸.
어차피 삶은 시간은 또 그 속의 나는 어떡해서든 일어나 나아갈 텐데... 느리니까 어쩜 그래서 나를 더욱 깊이 알 수 있는 건지도 몰라. 내가 가야 할 곳이 어디인지 또 무엇을 배워야 할지 느린 만큼 깊게, 그렇게 더 많이 차근차근 하나하나 준비해 갈 수 있는 건지도... 느리다는 건 그만큼 자세히 볼 수 있는 기회인 거니까. 그래서 놓쳤던 그 무언가의 소중함을, 그 아름다움을 오롯이 나에게 물들일 수 있는 순간일 테니까.

그러니 좀 느려도 괜찮다, 괜찮아...

결국 나아가고 있어요, 우린.
느리지만 한 발 한 발, 힘들지만 그렇게 성실히 또 하나하나를 해내고 있어요. 그러니까 용기 잃지 말고, 좌절하지 말고, 속상해하지 말고, 괜히 못났다 나를 괴롭히지도 말고 오늘이란 이 시간을 충분히 사랑하며 보내자고요. 내게 주어진 이 삶은 더없이 소중하니까...

풍선

자꾸 불면 부풀어 터지듯
너의 슬픔도 그대로 두면
그 한숨에 자꾸 커져서 결국 터지게 돼

그러니
힘들 땐 그 누구에게라도 좋으니 서서히 네 아픔을 꺼내보렴
그럼 부풀어 터지기 직전인 네 마음도
풍선 바람 빠지듯 서서히 줄어들어
그 모양새를 다시 예쁘게 갖출 테니

그 뒤엔
맑게 갠 너의 하늘로 훨훨 날아오르면 되는 거야

넌
원래부터
그러려고
이 세상에
태어난 거니까.

너에게

너의 시간을 허투루 쓰지 않았음을 잘 알아.
그래서 그것이 최선이었다는 것도.
그러니
그저
잘했다
애썼다
라고 말할밖에...

넌
정말이지
기막히게
잘될 수밖에 없는 사람이란다.
잊지 말렴.

자석

자석은 말이야
다른 극끼리는 붙잖아
꼭 슬플 때 애써 웃음을 붙이려는 너처럼...

근데 있지
사실은
슬플 땐 슬픔을 붙여야 하는 거야
밀어내지 말고
아프다고 외쳐야 하는 거야

그래야 그 슬픔이 바람결에 널 떠날 수가 있어

그러니 소리 내 좀 울어
넌 오늘...

그래도 돼.

사치

난 오늘 내 머릿속을 쇼핑했어
힘든 너에게 어떤 위로를 해줄까 하고
한참을 돌아다녔지

명품숍처럼
아주 유명한 사람의 글도 준비하고

동네 책방처럼
예쁘고 포근한 말도 준비하고

그런데
널 보고야 알았어
지금 네게 필요한 건
사치스러운 위로의 말이 아니라

그저

"기대..."

따뜻이 안아주는 것뿐이었다는걸...

분수

그저 자기 방향대로 쭉 뻗어나가는
물줄기를 보며 생각했어

머리가 복잡할 땐
다른 거 없이 딱 하나

'나의 마음'

그것이 곧 내 방향일 테니
그리 원하는 대로 가보자고

그럼 적어도
후회란
없을 테니까.

침전법

난 오늘 침전법을 사용했어

그게 뭐냐면
흙탕물을 분리하는 법인데
비커에 그 물을 담고 가만히 놔두면
흙은 가라앉고 윗물은 맑아지는 방법이야

해서 난 오늘 들은 말 중
흙탕물 같은 기분 나쁜 말을 마음속 비커에 담아둔 채
가만히 관찰을 했어

조금 있으니 서서히 흙이 가라앉더라
그래서 난 맑은 물만 조심히 따라
지친 나에게 들려줬지

괜찮아
이미 다 지나간 일이야
이젠 다 잊고 즐겁게 쉬자
오늘도 고생했어.

보랏빛 향기

어느 어스름한 저녁
해 마저 제 일을 마치고 돌아갈 때
그 적막함에 외로워하던 맥문동이
어둠에 묻히기 전, 자길 좀 보라며 살며시 내게 속삭였어.

사실
자긴 내일을 위해 참고 견디며
겸손히 이 밤을 보낸다면서 말이야.

난 그런 그에게 혹여 밤이 길어 힘들진 않냐고 물었지.
그러자 맥문동은 수줍은 듯 내게 말했어.

내일의 햇살이 저를 간질일 때
보랏빛 향기를 선물할 수 있어
그것이 곧 유일한 기쁨이라 괜찮다고.

그제야 난 알았어,
이 꽃이 내게 전한 꽃말을.

인내, 겸손, 기쁨의 연속...

힘들어도 조금 참고
겸손하여
기쁨이 지속되는 삶.

그래, 나도 그리 살아야겠구나...

소소한 재촉 - 행복이 필요한 나에게

오늘 볕이 좋아 오랜만에 산책을 나갔다가 문득 이렇게 별일 없이 지금, 여기 이곳에서 이런 평온한 시간을 보낼 수 있음에 참 감사하다는 생각이 드는 거예요. 그러다 또 작년에 봤던 저 꽃나무를 여지없이 다시 볼 수 있음에, 지금 부드럽게 날 감싸는 이 바람에게 "안녕." 인사할 수 있음에, 저기 드높은 고운 하늘이 잿빛으로 물들지 아니하고 내 머리 위에서 그저 고요히 흐르고 있음에 참 다행이다 싶은 게 어찌나 고맙던지... 행복이란 게 별게 아니구나 싶더라고요. 근데 절로 지어진 미소 뒤로 '행복이란 건 과연 뭘까?'란 의문이 머릿속을 비집고 들어와 그 편안함을 거두어야 했어요.

흔히들 그래요. 행복은 늘 가까이에 있다고. 부와 명예보단 소소함에서 행복을 찾아야 한다고... 근데 또 생각을 해보면 가난한 사람에겐 돈이 행복이 될 수도 있어요. 배고픈 자에겐 음식이 그러하듯 말이죠. 그러니 어떤 명확한 기준이나 정답은 없지만 지나침, 즉 욕심을 버려야 한다는 건 분명한 것 같아요. 만족을 모르고 더 많은 것을 가지려 하다 보면 자연스레 불행은 따라오기 마련이니까.

또한 내 안을 잘 정비해두는 것도 필요한 것 같아요. 개인적인 이야기를 잠깐 하자면 철없던 어린 시절엔 남들이 나를 어떻게 보는지 참 중요했었거든요. 이왕이면 착하고 좋은 사람으로 봐줬으면 했으니까요. 그래서 눈치도 많이 보고, 내 생각과 내 의견을 말하는 것보단 타인의 기준에 맞추며 살았었어요. 그런데 너무 나를 감추니까 상대는 날 참 모르더라고요. 사실은 호불호가 명확한 저인데도 말이죠. 그냥 말을 하면 될 것을 대체 난 왜 이럴까? 스스로에게도 너무 화가 났었는데 나중에 알고 보니 자존감이 낮은 거였어요. 그만큼 타인의 평가도 중요했었던 거죠. 내가 아닌 남에게서 행복을 찾으려 했던 거예요. 정작 행복은 내 안에 고여 있었는데... 이제 와 돌이켜보니 '타인의 평가'보단 '나 스스로에 대한 인정'이 먼저여야 했어요. 그래서 그것으로 내 중심을 잘 잡고, 누구에게도 흔들리지 않는 온전한 '나'일 수 있어야 했어요. 혹여 타인의 평가를 받더라도 그것으로 무너지지 않게. 그러니 먼저 나 스스로를 바로 세우는 것. 나를 존중하고 나의 장점과 단점 그 모두를 인정하는 것. 어쩌면 그것이 내 행복의 기준을 세우는 첫걸음이 아닐까 몇 번의 넘어짐 끝에 결국 이렇게 결론이 내려지더라고요. 그러니 가끔이라도 꼭 나 자신 스스로를 잘 보살피고 깊이 생각해 보는 연습도 한번 해봐요, 우리.

아, 물론 세상은 복잡하고 이 복잡한 세상에서 살아내려면 나 자신을 들여다볼 시간조차 없을 수도 있어요. "무슨 행복이야? 먹고 살기에도 바빠 죽겠는데..." 하시는 분들도 아마 계실 테죠. 그래도, 그래도 있죠. 보통 80세까지 산다고 했을 때, 그 시간 안에 한 번은 가능하지 않을까요? 지금 인생에서 한 번은 꼭 내가 나에게 집중할 시간을 갖겠노라 마음만 먹으면요.

결국 내 마음에 따라 행복한 감정은 아주 깊이 숨을 수도 또한 자주자주 나타나 날 웃게 할 수도 있습니다. 그러니 타인이 아닌 나 자신, 내 마음에게 애정 어린 눈길로 관심을 먼저 주자고요. 그럼 그걸 받은 당신의 마음은 무럭무럭 자라 당신만의 행복의 기준과 삶의 지혜와 관점을 더 넓고 깊게 키워 당신을 더욱 단단히 만들어 줄 테니까요. 그리하다 보면 결국엔 어떤 불행이 오더라도 무너지진 않을 테죠. 나를 지키는 힘은 곧 날 웃게 하는 행복을 가져다줄 거고요.

어쩌면 당신의 마음은 오늘도 그런 당신을 기다리고 있을지도 모릅니다. 그러니 지금이라도 당장 이 책을 덮고 당신의 마음에게로 시선을 돌려보세요, 얼른요.

가공

자꾸자꾸 힘든 일을 겪다 보면 어떻게 되는지 알아?
웬만한 일은 그냥 거뜬히 넘겨.
별거 아닌 거지, 이제.
그저 대수롭지 않게 콧방귀 한번 끼곤 또 해내.

그러다 보면 또 어떻게 되는지 알아?

지식과 지혜가 쌓이고
내공까지 생겨 더욱 단단해지지.
마치 보석 같을 거야.

그럼 또 어찌 되게?

어찌 되긴
엄청 매력적인 사람이 되는 거지.

어머,
너 그렇게 되면 어쩌니?

지금도 충분히 멋진데
매력까지 흘러넘치면 어째?

와, 난 감당 못한다.
적당히 해.

나무

난 나무를 볼 때마다
아이들을 생각해

그래서 이 말을 꼭 해주고 싶어

얘들아,
나무는 곧게 쭉 뻗은 나무도 있고
굽이굽이 굽이진 나무들도 있고

살짝 기울어진 나무도 있고
키가 작은 나무도 있어

그런데 있잖아
어찌 크든
나무는
결국 꽃을 피우고 열매를 맺는단다

그러니
너무 불안해하지 말렴
너무 두려워하지 말렴
너무 조급해하지 말렴

너의 시간이 되면 그 잎은 자연스레 푸르게 빛날 테니...

가을바람

힘없이 앉아있는 내가 가여웠나 봐

낙엽을 가지고 놀던 바람이 내게 다가와
가만가만 머릴 쓰다듬으며 말하길,

괜찮아...
잘하고 있어...

그 부드러운 손길에
나도 모르게 그만
묻어놨던 한숨 하나를 툭 꺼내놨지 뭐야

그러자
그조차 품은 바람은 내게 줄 선물이 있다며
가벼이도 훌쩍 떠났어

난 무슨 선물일까 궁금해하며 그를 기다렸지

이내
"안녕?"
코스모스가 한 결 바람에 안겨 내게 인사했어

그러곤 그의 입김에 낙엽들이 데굴데굴 굴러와
같이 놀자며 내 발끝을 간질였고

그 풍경을 보던 다람쥐는
“고갤 들어 위를 봐.” 하더니,
자긴 겨울을 위해 도토리를 찾아야 한다며 바삐 뛰어갔어

난 그제야
아까부터 서성이던 바람과 함께 산들산들
춤을 추고 있는 은행나무를 보았지

바람은 그리 가는 길마다 내게 선물을 주더라

그 때문일까
굳어진 내 얼굴에도 다시 미소가 감돌았어

이윽고 그런 나를 본 바람은 힘찬 소리로 다시 날 부르곤

걱정 마,
넌 그 누구보다
잘 해내고 있으니...

두려워 마,
네 앞날은 햇살을 받은 저기 노란 은행잎처럼
아주아주 환할 테니...

힘겨워도 마,
너의 아픔은 결국 나처럼 이리 사라져 버릴 테니.

바늘

꿰매라고 했더니 왜 찌르고 있어?
찢어진 마음 콕콕 건드리면 아프기밖에 더 해?
없던 일이 되는 것도 아니잖아.

지금은 그저 어떡해서든 잘 봉합할 때야.
바늘 들고 쑤실 때가 아니라...

자책 따위 당장 내려놓고 네 마음 보듬어 줘.
네 아픔 잘 쓰다듬어 줘.

그러고도 모자랄 소중한 너야.
넌 너에게 상처 주지 않을 권리가 있단다.

그러니 그 권리
야무지게 지켜!

파르페

파르페는 쌓을수록 참 예뻐져.
그러다 마지막 꼭대기에선 정점을 탁 찍지.

아마 너의 하루하루도
그렇게 멋있게 쌓이다
결국엔 그리 아름답게 완성될걸?

그러니
괜한 걱정에 더는 얽매이지 마.

생은
맛있고
예쁘고
즐거워도
모자라는 법이니까.

미술관

얘, 너무 가까이 다가서지 마
그림은 이렇게 조금 떨어져서 봐야
오롯이 느낄 수 있는 법이란다

그림이 네게 하려는 말을 말이야

마치 네 상처가 네게 말을 걸 듯 말이지

그러니 네 마음에게도
이 그림처럼 거리를 둬보렴
한 발자국만 더 뒤로 물러서 봐

그럼 그제야 넌
그토록 짓누르던 널 온전히 보게 될 테니
상처로 얼룩진 그곳 또한 잘 지울 수 있을 거야

그리곤 그 자리가 아문 뒤엔 알게 될 테지

앞으로 너라는 귀한 작품엔
아름다움만 남겨도 모자라는 법이란 걸.

습작

얘, 웅크리고 있느라 내 얘기가 들릴까마는
그래도 한 번만 좀 들어봐라

있잖아,
그림을 그리다 보면
아무 생각이 안 나서 행복하긴 한데
선택의 기로에 섰을 땐 참 괴롭기도 하단 말이지

예를 들면 이런 거야

'그냥 여기까지 하고 끝낼까?' 싶다가도
막상 보면 또 뭔가가 허전해
그래서 '그냥 하는 김에 좀 더 그릴까?' 싶다가도
이게 너무 꽉 차면 정신없어 보일 것 같긴 하거든
여백의 미는 또 살려줘야 하는 거니까

게다가 연이어 어떤 고민이 생기는 줄 알아?

색깔
이 색깔은 또 어떻게 하지?
이게 낫나, 저게 낫나...

참 정해야 할 게 너무나도 많은 게
어째 꼭 내 인생 같더라니까

근데 또 이런 건 있어
만약 이런 내 결정들이 잘못돼서 그림이 망쳐지잖아?

속상해
막 눈물도 나고
그간의 시간도 참 아깝고

그래도 한 가지,
그 와중에도 깨닫게 되는 게 뭔지 아니?

다시 시작하면 된다는 거
내가 이 붓을 내려놓지만 않는다면
그림은 또 그리면 된다는 거

아, 물론 아깝긴 하지만 뭐 어때?
덕분에 찾았잖아

내게 맞는 나만의 적당히란 기준을
최선의 그 방법들을 말이야

너도 마찬가지야
지금처럼 아무것도 못한다 내려놓으면
정말 아무것도 못하게 돼

대신 뭐든 하겠다 다짐하면
또 다른 길이 네게 열리게 되지

어떤 걸 택해 지금 여기까지 왔건
여태까지의 모든 건
명작이 탄생되기 전
네가 거쳐야 할 습작들이었을지도 모른다고

그러니
그만 일어나
이불 속에만 있는다고 문제가 해결되진 않아

밥 든든히 먹고 씩씩하게 다시 시작해 보자
자! 내가 사줄게
뭐 먹을래?

기똥차게

대체 얼마나 잘 되려고 자꾸 이런 일이 생기는 건지...

얘,
비 오고 나면 해가 뜨듯 사람 삶도 그래

모진 일 뒤엔 또 좋은 일도 오기 마련이지

그러니 슬퍼하지 말고 차라리 기대를 해
앞으로의 네 그 해 뜰 날들 말이야

그 화창한 날에 결국 서 있을 너는
그 누구보다도 눈이 부실 테니...

해서 난 널 미리 축하한단다

지금 이리 힘든 거 보면
앞으로의 네 삶은 정말이지 기똥차게 잘 될 테니까

지금의 네 그 슬픈 예상을 뛰어넘고
아주아주 찬란하고 아름답게 그렇게 기똥차게 말이야

그러니 기억해 줘
지금 네게 온 시련은
결코 널 힘들게 할 아픔이 아닌
너를 더욱 빛나게 해 줄 축복임을

해서
결국엔 네 삶을 잘 완성시킬 기회임을 말이야.

소소한 눈맞춤 - 웅크리고 있을 그대에게

오늘 우연히 창밖을 보다가 어느새 옷을 갈아입은 나무들을 보며 계절이라는 게 참 신기하다는 걸 느꼈어요. 누가 시킨 것도 아닌데 어찌 저리 절로 변할꼬. 겨울 지나 봄이 오면 어여쁜 꽃들이 수줍게 다가오더니 곧이어 초록의 싱그러움을 한껏 선사하고 이내 마술을 부리듯 알록달록 고운 단풍으로. 자신의 아름다움을 한껏 내보이며 여기저기 세상을 곱게 물들이느라 저들도 참 바쁘겠다 싶더라고요. 그러다 문득 그 눈길을 나에게 돌렸어요. '나는 지금 나의 변화를 자연스레 받아들이고 있나?'

생각해 보니 그래요. 때가 되면 자연스레 변화를 받아들이는 저들처럼 사람인 나 또한 그리해야 될 텐데 바뀐 나이에 따라 달라지는 몸의 변화를 느끼며 한숨을 쉬질 않나, 또 갑작스레 닥친 불행들과 예기치 못한 여러 상황들에 우왕좌왕하며, '대체 왜 이런 일들이 내게 생겼나.' 섣부른 좌절을 하질 않나. 사실 때가 되어 그것이 온 것뿐인데. 제시간이 되면 자연스레 찾아오는 저 계절처럼 말이죠.

우리는 살면서 참 많은 일을 겪게 돼요. 그런데 또 생각해 보면 그런 일들로 인해 나는 늘 성장하고 있었어요. 조금 더 단단하게, 조금 더 세상을 배우며, 그리 좀 더 나은 사람으로... 그러니 혹여 지금 이 글을 읽고 있는 당신의 인생의 계절이 겨울이어도 그대, 움츠러들 이유는 없답니다. 그 일은 제시간이 되었기에 찾아온 것이고 그렇기에 또 제시간이 되면 훌쩍 떠나버릴 테니까요. 떠난 뒤엔 분명 무언가가 남아있을 테죠. 혹여 떨어진 꽃 한 줌이어도 그것은 아름다움일 겁니다. 내 인생의 또 다른 자양분이 될 테니까요. 또한 그 뒤엔 나라는 단단한 열매가 열릴 테니까요.

시련이 머물다 간 자리엔 분명 더욱 잘 영글어진 내가 있을 겁니다. 나의 계절 또한 자연스레 바뀔 테고요. 혹여 그럼에도 아직 겨울 같거든 잊지 마시길. 그런 겨울에도 꽃은 피어난다는 것을. 그 속에서도 희망은 분명 존재한다는 것을요. 그리고 그 겨울은 결국 봄을 데려온다는 것 또한. 그러니 그저 지금의 당신을, 당신께 온 그 겨울을 한껏 품으시길. 하여 때가 되면 아름답게 세상을 물들이는 저들처럼 당신이라는 예쁜 꽃 또한 활짝, 그리된다 믿어 의심치 말길.

날개

세상 살면서 가장 필요한 게 뭔지 알아?
미움 받을 용기야.

어찌 모든 이들에게 좋은 사람일 수가 있겠니.
때론 날 위해
때론 그를 위해
미움 받을 수도 있어야지.

또 모르지.

어쩜 그들의 미움이 너의 날개가 되어줄지도...
해서 너를 더욱 높이 날게 할 자유로움이 될지도...

그러니 그것이 최선이었다면
넌 날아오를 준비를 끝낸 것과 같으니
이제 그만 힘겨워하고
숨겨놨던 너의 그 날개를 활짝 펴보는 건 어때?

지금이야말로 출발할 때니까,
떠나기 딱 좋은 최적의 시간!
갑갑했던 그곳에서 벗어나 그토록 갈망했던
너의 아름다운 세상, 그 속으로 말이야.

존중

날 어떤 관점으로 어찌 보건
그건 당신 생각일 뿐이니
그 생각 존중해요.

당신의 생각에 흔들릴 내가 아니니.

상관하지 않을게요.
날 무어라 생각하든
내가 생각하는 난, 그게 아니니까.

그럴 수도 있겠죠.
당신 생각이 맞을 수도 있겠죠.
또 내 잘못일 수도 있겠죠.
그러니 당신 생각에선 나를 성장시킬 그 몇 마디만 챙기면 돼요.
다른 건 필요 없어요.

날 어찌 봐도 좋아요.
내가 아는 나와 당신이 아는 나는 다를 테니
난 당신을 존중해요.

문턱

문틈 사이로 아무런 빛이 보이지 않아도 있잖아,
두려워하지 말고 한번 열어 봐.

그러고는 딱 한 발만 내디뎌 보는 거야.

그 문턱만 넘을 수 있다면
그건 분명 네게 용기가 있다는 뜻일 테니
그 용기는 곧 네 잠재력을 깨우는 열쇠가 될 거란다.

그러니 얘,
너 자신을 한번 믿어보렴.

조금씩 안으로 들어가
그게 뭐든 시작해 봐.

그럼 활짝 열린 그곳으로
희망이란 빛이 쏟아질 테고
그 빛은 결국엔 널 새로운 세상으로 이끌어줄 테니

지금 네 앞에 놓인 그 문고리를 이젠
잡아보는 게 어때?

지우개

하얗고 네모 반듯한 넌
연필을 묻혀 둥글게 깎여버렸네.

결국 때가 묻어야 깎이는구나.

그럼 날 괴롭히는 그 사람도
골치 아픈 스트레스도
내 인생 둥글게 해주는 존재인지도 모르겠네.

새삼 고맙다, 야.

두더지

너 지금 두더지 같아.
땅 파고 들어가는 두더지 말이야.

그리 계속 가봤자 어둡기밖에 더 해?
뭐 좋은 게 있다고 자꾸 깊이 파고들어?
어둠은 어둠을 더 부르는 법이야.
해서

자책
후회
미련
슬픔은
키워봤자 아무런 소용이 없지.

그러니 그만 파고들어.
두더지처럼 그것들 다 먹어치울 거 아니면.
계속 들어가 봤자 나올 땐 힘만 들어.

어쩜 지금 너의 하늘엔
산뜻한 해가 떠오를 준비를 하고 있을지도 모르잖아?

그 속에만 있느라
해 뜬 줄도 모르고 웅크리고만 있는 거면 어쩌려고 그래?

그 햇살은 받아봐야 할 거 아냐.
네 몸의 행복
그건 꼭 느껴봐야 할 거 아냐.

그것 또한 네 인생인걸, 안 그래?

농사

누군가 내게 묻더라
넌 대체 그 나이 먹도록 뭐 하고 있냐고...
해서 난 당당히 말했지

난 나를 키우고 있다고

아무것도 없는 내게
씨앗을 심고 물을 줄 수 있는 건 오직 나뿐이니
햇빛에 웃고 드센 바람에 쓰러지며
그렇게 나의 열매를 맺기 위해 애쓰고 살았노라고

때론 가뭄에 말라가고
모진 비에 아프면서도
난 나를 보살피고 다듬기에 여념이 없었어

그리고 마침내 수확의 계절이 오면 그제야 넌 알게 될 테지

그렇게 하나, 둘 견고히 열린 나라는 열매가
얼마나 반짝일지

아름답게
또 단단히 익은 내가 이 별에서 무엇을 해낼지

그러니 지금의 날 가여워하지 마

난 그 누구보다도 아주 잘
키워지고 있는 중이란다.

마라톤

불안해하지 마.
아직 결승점까진 한참 남았는걸?

앞서가는 사람들도 신경 쓸 거 없어.
넌 그저 네 속도대로
너의 목적지를 향해 달려가면 돼.

조급해할 필요도 없지.
너무 급하게 가다간 넘어져 상처만 생겨.
결국 그곳에 다다를 너야.
조금씩 해내도 괜찮아.

그래도 만약 어느 날엔가 문득
겨우 여기까지 밖에 못 온 건가 싶어 힘이 빠지거든
그땐 그동안의 너를 떠올려 봐.
여기까지 온 게 어디야?

아픔이란
또 괴로움이란
그간의 모진 훈련들을 다 이겨냈잖아.
해서 이렇게 단단히 또 멋있게
성장할 수 있었던 거고...

그러니까
믿어!
분명 앞으로의 너도 잘 해낼 거란 걸...
분명 앞으로의 네 생도 잘 꽃피울 거란 걸...

또한
너의 마라톤은
끝내는
아름다운 완주가 될 거란 걸.

물수제비 뜨기

애, 살아보니 그렇더라
아무 일 없이 그저 잔잔하게 흘러가는 게 최고더라

근데 살다 보면 그래
누군가는 꼭 돌을 던져
허락도 없이 불쑥...

누가 던진 돌이 더 많이 튕겨 오르나 서로 내기라도 하듯
그렇게 여기저기에서 말이지

해서 내 마음에 탐방 떨어지는 그것에
화도 나고
때론 눈물도 쏟곤 하는데

그런데 요즘은 참 이상해
그게 영 아프지가 않단 말이야

하도 많이 맞아서 그런가...
아니면 나도 이젠 나이가 들어서 그런 건가...

예전 같으면 더 날렵한 돌 집어 들어
나도 힘껏 던졌을 텐데
이젠 그러기가 싫더라고

그 마음 아프게 해 봤자
돌아오는 건 상처뿐이니까

그냥 조금이라도 빨리 내 마음 잔잔하게 만드는 게 최고더라
물둘레가 서서히 사라지듯 말이야

그러다 보면
따스한 햇살 한 줌이 또 내 마음에 사르르 녹아들어
빛을 내어 반짝이기도 하니

얘,
너도 이제 그만
손에 쥔 그 돌멩이
슬그머니 내려보는 건 어때?

장마

참고 참다 터진 눈물이라 그런가
어찌나 많이 내리던지
그 비에 나도 모르게 그만 슬퍼져버렸어

'너도 많이 힘들었구나?'

혹 나의 아픔도 짐이 될까
옅은 웃음 보이며
그 머리를 쓰담쓰담 대니

하늘은 그제야
어둑한 먹구름을 밀어내고선
내게 그러는 거야

내가 이리 우는 이유는
너의 슬픔 또한 내가 가져가겠다는 뜻이기도 하니
부디
네 가슴에 고인 그 아픔도 이 비에 실어 보내라고

그럼
텅 빈 그 자리엔
나의 빛이 스며들지니
그곳에다 너만의 하얀 뭉게구름 하나를 띄워보라고 말이야

난 과연 그럴 수 있을까 싶어 고개를 떨구었지

그러자 하늘은 이내

얘야,
나의 빛은 기어코 저 어둠을 뚫고 밝게 빛나는 거란다
그러니
너 또한 그럴 수 있다는 걸 믿어 의심치 말렴

너의 어둠은 금세 흩어질 하나의 구름일 뿐이야
너의 용기가
너의 희망이
끝내는 그것을 몰아낼 테니

부디 너 자신을 믿고
환하게 웃어 봐

그리고
나중 되어
네 마음속 뭉실뭉실한 그것이 하얗게 빛나거든
그땐 너 자신에게 말해주렴

고생했다고
참 잘하고 있다고

또한
앞으로의 모든 순간 속 나를
그 어떠한 경우에라도
반드시

사랑하겠노라고...

소소한 하루 - 마음속 어두운 구름이 드리울 때

오늘도 여전히 비가 내려요. 이번 장마는 유난히 길고 비가 많이 내리는 것 같아 걱정이 돼요. 좀 적당히 내리면 좋으련만...

비가 오는 날이면 전 유독 창문을 유심히 본답니다. 창가에 맺힌 빗방울들이 또르르 내려가며 하나로 뭉쳐지는 걸 보면 어딘가 모르게 부럽다 싶거든요. 언젠가 찾아올 나의 낙하도 꼭 저랬으면 좋겠다, 뭐 그런 생각이 들어서요. 떨어질 때 떨어지더라도 전보다는 더욱 영글어진 채 망설임 없이 그렇게.

아, 그러기 위해선 멋있게 또 단단히 나를 채워놔야겠죠? 우선 날씨만큼 우울한 이 마음부터 달래어 보고요.

살면서 좋은 일들만 가득하면 좋으련만 시련은 굴하지 않고 나를 찾아와요. 아마도 행복보다 더 자주, 더 깊게, 그것도 아주 많이. 꼭 지금의 이 장마처럼 어둡고 습하게 말이에요. 그래서 인생이 때론 아주 깊은 어딘가로 떨어지는 듯도 해요. 게다가 그럴 때일수록 우울한 감정도 더 짙게 찾아오는 듯합니다. 그리고 우울할 땐 꼭 나에게 초점이 맞춰지더라고요. 잊었던 과거의 실수들도 떠오르고 아직 찾아오지 않은 미래를 불안해하기도 하고요. 그 모두가 나를 더 힘들게 한다는 걸 알지만 그럼에도 한번 꽂힌 이 눈길은 거두기가 쉽지 않네요. 그래서인지 저도 오늘은 좀 마음이 착 가라앉아요. 해서 생각을 해봤어요. 이왕 이렇게 맞춰진 거 그 눈길을 조금만 돌려 내 안 어딘가에 숨어있을 용기와 믿음에 시선을 둬보면 어떨까 하고요. 과거에 내가 그 어떤 실수와 좌절을 했어도 어떡해서든 그것을 극복한 것 역시 '나'이니까 앞으로의 나도 어떤 일이든 결국엔 잘 해낼 거라 믿으며 굳이 다가오지 않은 미래를 불안해하지는 말자고. 우선 그리 정해놓고 오늘은 지친 나를 좀 다독이고 쓰다듬어 줄래요. 중요한 건 '지금'일 테니까. 지금, 이 별, 이곳에서 이렇게 머무르고 있는 나. 여기까지 걸어온 내 걸음에 묻은 그 모든 결정들과 그 노력 속에서 잘 견디고 또 그리 해낸 나를 인정해 줄래요. 그럼 우울한 지금 이 마음도 잠시 멈춘 저 비처럼, 나를 조금 쉬게 만들어 주지 않을까요? 그렇게 날 계속 다독이다 보면 또 모르죠. 어느 날 갑자기 확 사라져버릴지도. 언젠가는 결국 장마가 끝나듯 말이에요.

하나 둘 생각을 정리하며 글을 쓰다 보니 어느새 시간이 금방 가버렸어요. 밖을 보니 어두운 구름들도 어딘가로 바삐 흘러가고 있고요. 흐릿한 하늘 사이로 한 줄기 빛도 보이는 듯해요. 아마 맑은 햇살이 쏟아지지 않을까 싶은데 기어코 어둠을 뚫는 저 빛처럼 내 마음에 머문 어둠에게도 한 줄기 빛을 선물해 줘야겠어요.

고생했다고. 너는 지금 이대로도 충분하다고.

2. 소소한 행복이 당신 곁에 늘 머무르길

벚꽃 잎 하나가 살며시 곁에 와 앉길래
그제야 봄이 온 걸 알았어요.
강아지풀이 귀엽게 제 몸을 흔들기에
그제야 여름이 온 걸 알았고요.
언제나 바쁘다는 핑계로
내 머리 위의 하늘조차 외면한 채 살고 있었네요.

때맞춰 핸드폰 업데이트는 잘도 시키면서
내 마음의 업데이트는 왜 매번 건너뛰었는지...
사랑스러운 그들에게 눈길 한 번이면
충분했는데...

해서 이젠 골치 아픈 일들과
지금도 붙잡고 있는 나의 휴대폰은 과감히 내려놓고
하늘에게, 꽃에게, 바람에게
따스한 인사를 전할까 해요.

내 곁에서 언제나
예쁜 선물을 들고 기다리고 있는
그들에게 말이죠.

또한
그로 인해 잊었던 나와 내 주변 모두에게도
예쁜 미소와 함께 꼭 전해줄래요.

소소함이 주는 행복은 부디 놓치지 말라고.

선풍기

너는 좋겠다.
강풍도 쏘고.

나도 그래 봤으면 좋겠어.
내 앞을 막아선 저 부질없는 것들 한 방에 빡 정리하게.

킬링 파트

"있지, 그거 알아?
힘들어도 기쁘게 힘든 방법이 있다!
아프고 힘들어도 행복할 수 있는 법."

"뭔데?"

"그때 그 순간
사소하고 즐거운 추억 하나만 있음
그 시절의 힘겨움은 행복으로 추억될 수 있어."

"아, 그럼 네 그 사소하고 즐거운 추억은 당연히 나겠네?"

"아닌데?
그때의 내 킬링 파트는
음
.
.
.
.
.
돈가스야, 우하하."

군고구마

이를 어쩐다
가뜩이나 정감이 가는 단어인데
어쩌자고 이리 달콤한 추억만 쌓이는 건지...

구름 한 점 없던 말간 하늘과
삐죽삐죽 썰려 광주리에 담긴 주홍빛 단감들과
제 계절의 빛을 품어 유독 따스했던 햇살까지

참 모든 게 예쁘다 싶더니만
순간 곁에 놓인
갓 구운 군고구마가
끝내는 아름다운 두려움으로 자리하더라지 뭐야

행여 자식 입에 들어가는 그것이 뜨거울까
후후 불어
환한 웃음으로 그걸 건네는 어머니의 손길은
사실 내겐 기쁨보단 슬픔에 가까웠거든

하여 난
끝내 더 웃을 수밖엔 없었지
결국 이것은
내 생의 액자에
애틋이 담길 순간이란 걸 알았으니까 말이야.

관점

"어쩜 저리 예쁠까? 참 좋겠어.
있지, 나보다 어린 재들 보면서
부럽다는 생각이 들면
나, 이젠 나이 든 거겠지?"

"그럼 그런 당신을 보고 나이 지긋한 어르신은 그러시겠지.
야, 참 좋~~을 때다. 한창이야."

탁

내 불행의 문단에도
이제 그만 마침표 좀 찍고 싶다.

하여
Enter 키 '탁' 눌러
행복을 위한 첫 문장 좀 끄적여봤으면...

태풍

그거 알아?
태풍이 불어야 바다 생물들도 산대.
바닷속에 산소를 공급해
해조류와 어류를 더 풍성하게 해 준다나?

그래,
그래서 내 인생에도 태풍이 부나보다.
모진 바람 한번 싸-악, 맞고
퍼뜩 정신 차려
더 잃기 전에 소중한 것들 어서 챙기라고.

해서 더 풍성히 나의 삶을 살아내라고 말이야.

어깨동무

끼리끼리 논다고
왜 힘든 일들은 어깨동무하고서
한꺼번에 몰려오나 몰라

떽!
떨어져!!
우리 엄마가 나쁜 친구는 사귀는 거 아니랬어
어허, 저리 가
훠이 훠이

강아지풀

버스를 탔는데
모두 다 같은 모습을 하고 있었어.

고개를 숙인 채
핸드폰만 바라보는...

그래서 버스가 멈췄을 때
딱 나만 들을 수 있었지.

바람을 음악 삼아 신나게 춤을 추고 있는
강아지풀의 인사를 말이야.

"잘 가, 오늘도 고생했어."

소소한 발견 - 지친 나에게 '잠깐'을 선물해요.

좀 부끄러운 이야기지만 집 앞에 단풍나무가 있다는 걸 이제야 알았지 뭐예요. 어머니의 말씀으론 언제나 가을이면 당신 방 앞에서 곱게 물들이고선 그 자리 내내 서 있었다던데 전 이곳으로 이사를 온 지 꽤 되었는데도 그걸 몰랐어요. 뭐가 그리 늘 정신이 없었는지... 언제나 바쁘다는 핑계로 집 앞 나무도 제대로 보질 않았더라고요. 하긴 산책한답시고 어여쁜 숲길을 걸을 때조차 머릿속을 비우지 못한 나였기에 그러려니 하면서도 한편으론 좀 한심하기도 했어요. 조금만 눈을 돌려 관심만 가지면 되는 것을, 으이그. 해서 이제는 억지로라도 주변을 잘 둘러보기 위해 쉬는 날, 산책을 할 때면 핸드폰도 일부러 집에 놔둔 채 나오곤 한답니다. 그랬더니 맑게 지저귀는 새소리도 들리고, 앙증맞게 피어나 옹기종이 모여 있는 이름 모를 풀꽃과, 사이로 해맑게 뛰어노는 아이들의 웃음소리도 전해지더라고요. 예전엔 잘 눈여겨보지 않던 그 모든 걸 다시 보며 알았어요. 내 삶엔 언제나 저런 아름다움이 자리하고 있었다는 것을. 어쩌면 매일 저리 고운 선물을 든 채, 날 기다리고 있었을지도 모른단 미안함과 함께. 거참, 아주 잠깐이면 됐었는데 왜 그걸 몰랐었는지...

날아가는 새를 보며 또한 바람에 흔들리는 꽃을 보며 평범하지만 소소함이 가진 힘을 느껴요. 게다가 이 모든 걸 느낄 수 있다는 건 그래도 내가 아직 이 별, 이곳에서 어떡해서든 살아내고 있다는 뜻이기도 하니 새삼 반가웠고요. 살아있음은 곧 설령 지금이 힘들지라도 다시 앞을 향해 나아갈 수 있는 시간 또한 존재한다는 걸 겁니다. 그러니 흔들리는 내게도 이젠 믿음 하날 심어보려 해요. '힘들지만 그래도 나의 생엔 아직 기회가 있노라고.'

만약 지금 이 글을 읽고 있는 당신이 일상에 지쳐있다면 오늘이라는 이 시간 안에 소소함이 스민 '잠깐'이란 선물을 한번 줘보세요. 늦기 전에 아주 잠깐, 고갤 들어 창밖이라도 한번 보는 거예요. 내 앞에 무엇이 펼쳐져 있건 그걸 볼 수 있다는 건 당신에게도 아직 기회와 시간이 존재한다는 뜻일 겁니다.

더불어 그걸 시작으로 나만의 작은 행복들도 꼭 찾아보시길. 소소한 행복을 발견하는 재미는 꽤 쏠쏠하거든요. 나를 탐색하여 스스로를 더 잘 알 수 있게 해주는 시간이기도 하니까요.

작년에도 피었을 저 어여쁜 꽃을 지금도 그저 별일 없이 다시 볼 수 있음에 이제는 알아요. 이 모든 걸 느낄 수 있다는 건 내가 살아있기에 가능하다는 것을. 해서 기회도 시간도 아직 내게 존재한다는 것을. 또한 그것은 더할 나위 없는 축복이자 감사함이라는 것 또한.

그러니 부디 당신도 '잠깐' 속에 숨어있는 당신만의 소소함을 꼭 찾아보세요. 그것이 주는 위로는 더할 나위 없는 큰 선물일 겁니다.

잠자리

어쩜 저리 가볍게 날아다니는지
참 좋겠다 싶은 찰나,
곁에 다가온 잠자리 한 마리가
'너는 날 수 없지?'라고 놀리며 빙빙 맴돌기에
난 심술이 나서 그만
그 날개에 내 고민 하날 살며시 걸어봤지 뭐야

그러자 아무것도 모르는 잠자리는 그걸 달고
다시 신나게 날아가는 거 있지?
그래서 난 그런 그에게 가만히 말했어

네 날개에 내 고민이 달렸으니
부디 멀리 날아가 어느 한적한 숲에 그걸 툭 떨어뜨려주길...

그럼 난 그제야 가벼이
나만의 날갯짓으로
내 하늘을 실컷 날 수 있을 테니

바라건대
잠자리야
잘 가,

그리고

부탁한다.

비눗방울

잠깐 왔다 톡 사라지는 게
어쩜 저리 우리네 삶과 같은지...

잘 보면 나도 저런 영롱한 빛 머금은 채
태어났을지도 몰라

저리 가볍게 두둥실
이곳저곳을 여행하기 위해
이 별에 왔을지도...

그러니
지금 부는 나의 이 바람을 한번 믿어볼래

그것이 불면 부는 대로
때론 높게
때론 낮게 자유로이 떠다녀볼래

그럼 나중 되어 알게 될 테지
결국 도착할 아름다운 나의 세상을 말이야.

내비게이션

거울을 보니까 오늘따라 내가 참 못생겨 보이는 거 있지?
어쩐지 어깨도 움츠러든 것 같고
안색도 별로고
눈은 또 왜 이렇담?

해서 좀 웃어볼까 하여 입꼬리를 있는 대로 올렸는데
글쎄, 영 아니더라고.

에잇, 도저히 안 되겠다 싶어
난 그대로 주저앉아 눈을 감고
내 마음속에 있는 내비게이션을 딱 켰어.

목적지는 '결국엔 도착할 멋진 나'로 정한 채,
즉시 경로 탐색을 했지.

음, 제일 먼저
게으르고
고집도 세고
청개구리 같은 내가 떠오르더라.
근데 단점은 끝이 없는 것 같아서 다른 길로 진입을 했어.

이번엔
다정하고
편안하고
끈기도 있는 나를 보았지.

그래, 이 길이야.
해서 난 그 길을 더욱 신나게 둘러봤어.

잠시 후, 눈을 뜨고선 자리에서 일어나 다시 거울 앞에 섰어.

생각보다 꽤 괜찮은 '나'는
이런 좋은 점을 가지고
오늘 어떤 가치를 창출할 수 있을까?

꼭 거창하지 않아도
오늘 나를 스친 사람들에게 어떤 도움을 줄 수 있을까?

어쩐지 난 뭐든 할 수 있을 것 같았어.
해서 움츠러든 어깨도 폈고,
못생겨 보였던 눈도 다시 깜빡여보고,
어색했던 미소도 다시 환하게 지어봤지.

그래,
뭐든 할 수 있어.
그리 생각한 순간 내 마음속 내비가 뭐라는 줄 알아?

목적지에 도착하셨습니다.
안내를 종료합니다.

그래 내비야, 고생했어.
아주아주 멋진 드라이브였단다.

나비

하도 힘차게 날아다니기에 어딘가에선 쉬겠거니 했더니
아니나 다를까, 나뭇잎에 살며시 앉는 널 보며
너의 휴게소는 참 싱그럽다 싶었어

대체 어딜 그리 가려는 거니?

조심조심 묻는 내게 넌 따라오라는 듯,
기쁜 날갯짓으로 이내 날 인도했지

네 날개에서 떨어지는 설렘을 내 걸음에 묻히며
난 그런 널 따라갔어

그리곤
도착해서야 알았지 뭐야

너의 목적지는 노랗게 핀, 저 꽃 한 송이었다는걸...

대체 얼마나 사랑하면 저 품에 그리 파묻을꼬

좋겠다
네 목적지는 그리 예쁜 곳이어서

나의 목적지도 너의 그것처럼 언제나 예뻤으면...

큐레이터

미술관에 가고서야 알았네
결국 난 큐레이터가 되어야 한다는 걸...

내 삶을 관리하고 연구하며
결국엔 멋진 나로 기획해야 하니까

하여 다른 누구도 아닌 나에게
아주 잘 살았노라 말할 수 있게

지금부터라도 난
내 하루하루를 잘 수집해야겠어.

안개

안개가 자욱한 어느 날, 나는 길을 나섰지.
터벅터벅 걷다 산 아래에 도착해 고갤 들었는데
날씨 탓인지 저기 저 봉우리가 보이질 않는 거야.
해서 난 어쩔 수 없이
지금 내 눈앞에 있는 나무들만 보며 길을 걸어야 했지.

그런데 그렇게 걸음을 내딛다 알았지 뭐야.
내가 앓고 있는 내 마음속 불안의 정체는
아직 내게 오지도 않은 먼 미래라는 걸.

저 산처럼 안개로 뒤덮인 탓에 보이질 않는 거였는데
그걸 억지로 보려고 글쎄 그리 아등바등 해왔다는 것도.

아, 어쩜 그 안개도 내가 만든
불안의 그림자였는지도 몰라.

순간 난 걸음을 멈췄다네.

정히 그렇다면 애써 그것을 거두려 말고
그저 쌓여있는 채로 두면 어떨까 하고.

난 다시 고갤 들었지.
역시나 저 멀리 있는 것들은 보이질 않더군.
뭐 어차피 억지스레 보려 해도 볼 수 없는 것을...
그저 내 앞에 있는 지금을

한 발, 한 발 걸어 나가다 보면
언젠간 도착할 텐데...
그토록 보이지 않아 불안해하던 그곳으로 말이야.
또 아나?
막상 도착해 보니 내가 생각했던 것과는 완전히 다를지?
어쩜 내 고민과 불안은 별것 아닌 거였는지도...
그래, 아마 그래서 인생은 또 살아볼 만한 건지도 모르겠어.

하하, 호탕하게 한 번 웃고 난 또 걸음을 옮겼다네.
지금 내가 있는 곳에서
지금 내 곁에 있는 것들을 보며
오직 지금 내가 해야 할 것만 하며...

이보게
난 이제 그리 살려 하네.

먼 미래일랑 저기 저 안갯속에 묻어두고
그저 지금을 말일세.

사소한 선물

있잖아,
난 오늘 아주아주 사소한 선물 하나를 받았어

그게 뭐냐면

.

.

.

따스한 햇살 한 줌과
향긋한 커피

맛있는 쿠키와
감미로운 음악소리

다정히 날 보는 그의 눈빛과
애정이 담긴 고운 말 한마디

그리고
바람을 음악 삼아 춤을 추던 꽃들과
뒹구는 낙엽들 사이로
살금살금 다가오던 아기 고양이까지...

참 별 볼일 없는
대단하지 않다 여겨지는 저 모든 것들이
사실은 가장 큰 행복이더라고

그래서 알게 됐지

이 지구별에 존재하는 모든 하찮음은
결국 아껴주어도 모자랄 소중함이라는 걸

나와
너와
우리에게
이 세상을 잘 버텨내란 위로이자 응원이라는 걸 말이야

그러니 너도 잊지 말렴

그들이 주는 저 한없는 위로는
오직
너만을 위해서라는걸...

또한
그로 인해 너는
이 세상에서
결코
없어서는 안 될
귀한 존재라는 것을.

소소한 일상 - 참 감사합니다.

글을 쓰기 위해 책상 앞에 앉았는데 글쎄, 창문 너머로 앙증맞은 아기 고양이들이 보이더라고요. 그런데 나무 위를 조심조심 한 발 한 발 내딛는 그 모습이 어찌나 불안해 보이던지 글을 쓰기 위해 켜야 할 컴퓨터는 켜지도 않고 위태로운 그들만 계속 바라보았어요. 그러다 '대체 어미는 어디에 있나?'싶어 이리저리 눈을 굴려 찾아보니 아, 밑에서 그런 새끼들을 가만히 쳐다보고 있었더라고요. 아마 오늘이 새끼들에게 나무 타기를 가르쳐 주는 날이었나 봐요. 혹여 떨어질까 그 곁에 서서 눈을 떼지 못하는 어미를 보며 오랜만에 따스한 사랑이란 감정을 느꼈어요. 그러고는 그 포근함을 가슴에 담은 채 혼잣말로, '아가, 엄마 사랑 듬뿍 받고 예쁘게 잘 자라렴.'이란 인사를 남겼네요. 근데 1교시 수업은 나무 타기인데 2교시 수업은 뭘까요? 계속 궁금했지만 저는 또 저만의 행복을 찾기 위해 컴퓨터를 켰습니다.

예쁜 고양이, 글을 쓰며 나를 마주하는 시간, 디카페인 커피와 고소한 비스킷 그리고 어머니와 함께 먹은 맛있는 점심까지 오늘 찾은 소소하지만 멋진 행복들이에요. 거창하진 않더라도 내 얼굴과 그리고 내 마음을 웃음 짓게 만든. 그래서 또 내일을 살아갈 수 있게 해주는 힘찬 선물들이요.

사실 전 몸이 약해 자주 아프곤 했었거든요. 때론 이유 없이 고열에 시달리기도 했고, 또 원인 모를 병으로 고생을 하기도 했었고요. 그래서인지 요즘엔 하루가 그저 무사히 잘 흘러갔음에 또 내가 걸을 수 있고, 무언가를 할 수 있고, 때론 그저 숟가락을 들고 밥을 먹을 수 있다는 그 자체만으로도 감사함을 느끼곤 해요. 살아있다는 뜻이니까. 건강할 땐 몰랐던 그래서 당연하다 여겼던 그 모든 것들이 실은 당연하지 않다는걸, 아주아주 특별한 행복이었다는 걸 아프고 나서야 깨닫게 된 거죠. 해서 지금 곁에 머문 작지만 이 모든 것들이 참 소중하답니다. 어쩌면 그래서 버릇처럼 소소하더라도 나를 행복하게 해주는 그 모든 걸 더욱 찾으려고 하는 건지도 몰라요. 슬프거나 힘들 때 그리고 아프거나 또 바쁠 땐 내가 뭘 좋아하는지, 내가 뭘 하고 싶어 하는지조차 모를 만큼 나라는 존재를 잊기도 하니까요. 그걸 잃어버려 본 적이 있어서인지 더는 잃지 않기 위해 애를 쓰는 편이랄까.

사실 지금 이 글을 읽고 있는 당신에게도 조심히 전하고픈 이야기이기도 합니다. 세상에 당연한 건 없다는 걸 물론 잘 알고 계실 테지만 그렇기에 더욱 내 곁에 머문 그 모든 걸 사랑했으면 하는. 사소한 것까지도 전부 다요. 그래서 꼭 그 마음으로 나를 웃음 짓게 할 오늘의 행복을 하루하루, 매일의 일상에서 찾으셨으면 해요. 내 삶은 아직 살아 숨 쉬고 있으니까. 하니 잃어버리지 말고, 또 잊지 않고 꼭.

아, 지금 저 앞에 아기 고양이들이 1교시 수업을 끝냈나 봐요. 이제 나무에서 내려와, 폴짝폴짝 서로 잘도 뛰어대며 아주 귀엽게 놀고 있는데요. 저 모습, 오늘의 행복에 하나 더 추가해야겠어요. 그리고 그걸 볼 수 있었던 나의 이 시간에게도 말할래요.

'참 감사합니다.'라고.

내일은 또 새로운 행복이 기다리고 있을 테죠. 하나 분명한 건 저는 내일 엄마랑 공원에 가서 맛있는 도시락을 먹기로 했어요. 비빔밥이요. 벌써 군침이 도는 게 절로 웃음이 지어지네요. 여러분들의 오늘과 그리고 내일에도 작지만 큰 행복이 머물기를... 하여 우울하기보단 기쁨과 설렘과 기대가 충만하길 바랍니다.

귀한 손님

잘 봐,
이 술잔에 술도 80프로만 채워야지
가득 채움 넘치기 마련이야.

그러니
너도 그게 뭐든 가득 채우려 하지 마.
결국에 넘쳐 쓰러지는 건 너니까 말이야.

조금은 실수해도 돼.
너무 잘하려 애쓰지 않아도 돼.
세상에 완벽이란 건 없으니까.
있다면 그건 바로
너 자신이겠지.

서로의 부족함을 안고 살라는
신의 뜻 품고 태어난
너
나
그리고
우리...

생각해 보면 우린 처음부터 부족함 투성이었어.
해서 이리 도우며 사는 거고.

그걸 보면 또 부족한 이 자체가 완벽이지 않을까 싶네.
덕분에 세상 곳곳이 따뜻하잖아?

그러니
얘,
너는 이미 너 자체로 충분하단다.
참 예쁘게 반짝이고 있어.

남에게 상냥하듯
너도 그리 대해 줘.

너라는 선물을 받은 이 세상의 입장에선
너 또한 귀한 손님일 테니

부디 너도
너 스스로를 그리 대하겠다,
약속해 줘.

넌 마땅히 그래야 할 소중한 존재니까.

한 끗 차이

야! 생각이라는 게 참 웃기더라.
관점을 어디에 두느냐에 따라 완전히 달라지는 거 있지?

사실 엊그제
공들여 쌓은 탑 하나가 와르르 무너졌는데
진짜 너무 허무하고 왜 살아야 하나 싶은 게
글쎄 아무것도 하기가 싫더라니까.

해서 난 그 좌절 앞에 또 되뇌고야 말았지.

그래,
내가 그렇지 뭐.......

근데 한숨 사이로 드는 생각이 뭔 줄 알아?

그러고 보니 여태 그 많은 시련들을 넘긴 것도
또...

나네?

그래, 맞아!
그렇더라고!!
나 말고 누가 또 그걸 넘겼겠어? 어차피 내 인생인데...

그 힘든 모진 어려움들 다 이겨내고 여기까지 온 것도
결국 나더라니까, 나!

해서

앞으로 그게 무슨 일이든
어떤 시련이든
끝끝내 꿋꿋이 잘 이겨낼 나는

.
.
.

그래! 까짓, 해낸다.
아, 내가 그렇지 뭐~~~어!!

하! 이렇게 바뀌더라니까?
생각이란 게 참 웃겨.
관점을 달리하니
어느새 자신감도 생기고
마음도 단단해지는 게

인생
참
한 끗 차이더라고.

그러니 이왕이면 나를 위한 좋은 생각을 해야겠어.
그게 내가 나에게 해줄 수 있는
가장 큰 선물임을 이제는 알았으니까 말이야.

루틴

세상 살면서
절대 용납해선 안 되는 일 하나,

나라는 예쁜 보석에
스크래치 내는 일.

그러니
뾰족한 그거 당장 내려놔.

지금부터 해야 할 일은
찌르고 쑤시는 게 아니라
보드랍게

쓰담쓰담

그럼
너라는 예쁜 보석도
결국엔 환한 빛내며 반짝일 테니

하루에 몇 번이라도 꼭 해야 할 일

쓰담쓰담

잊지 말아,
너에겐 네가 가장 큰 선물임을.
다른 누구도 아닌 스스로의 관심과 사랑이
결국 너를 키울 거라는 것도...

그러니 너의 하루 어딘가에 이것 하난 꼭 넣어주길 바라.

괜찮다
잘하고 있다

이런 예쁜 생각이 네 마음 곳곳에
잘 스며들 수 있도록 그리

쓰담쓰담

아파트

어느 밤길을 걷다
높고 높은 아파트를 보며 생각했어

저 많은 집,
저곳에 사는 이들 중
나만큼 힘든 사람이 또 있을까?

순간 난 걸음을 멈췄어

그렇다면
부디
오늘 이 밤은
그들에게 너무 길지 않길...

한숨으로 그의 밤이 더 짙은 어둠에 묻히지 않길...

휘영청 떠 있는 저 달이
빛을 내는 저 별이

한 조각씩 그 평온을 나누어주길...

하여
슬픔으로 얼룩진 밤이 아닌
내일이 기다려지는 희망이길...

바라건대
나 또한
그러하길...

그런 날엔

왜 그런 날 있잖아.
지치고 힘들고
대체 난 왜 이러고 있나 싶은
한없이 가라앉는 그런 날.

나조차 나를 믿지 못하겠는 그런 날...

그런 날엔 있지,

아무리 내가 작게 느껴져도
설령 초라하기까지 하더라도

잊지 마.

너는 그럼에도 귀한 사람이라는 것을.

그럼에도 여태껏 무언가를 해냈고, 또한 할 수 있고,
앞으로도 참 많은 것을 이뤄 낼 사람이라는 것을.

가끔은 외로워도
그럼에도 너의 안부를 물어주는 이가 있어 좋고

또 가끔은 아파도
네 곁에서 고요히 기도를 해주는 이가 있어
행복하다는 것을.

흔들려도 괜찮다며
날아가는 저 새들조차 때가 되면 쉬어가니
너도 그래도 된다, 다독이는
내가 있다는 것 또한.

해서 넌 그만큼
누군가에겐 한없이 소중한 존재란다.
사랑하고 사랑받기에 충분한 그런 존재...

그러니
너 스스로도 너를
아껴주렴.

작고 가녀린 너일지라도
지금은 잠시 움츠러든 것일 뿐일 테니

본디 너는 참 강하고
무한한 가능성을 갖고 태어난 사람임을
믿어 의심치 말렴.

그리고 한 가지 고백하건대,
사실 넌
지금 그대로도
.
.
충분하단다.

노을

무척이나 바빴던 오늘
무거운 걸음을 옮겨 집으로 돌아가는 길에
문득 고개를 들어 하늘을 보니 그제야 그 빛이
내게 투정을 부리는 거야

왜 이제야 자길 보느냐고
하루 종일 네가 봐주길 기다리느라
애가 타는 바람에 이리 붉게 물들어버렸다고

그러니
부디
하루에 한 번은 꼭

자길 봐달라고

해서 난
타들어가는 그 마음을 보며 말했지

나의 머리 위에 이리 예쁜 네가 있어
이제야 힘듦으로 굳은 내 마음이 스르르 녹아내리니
붉게 물든 네 사랑은 결국
내 오늘의 이름에 행복을 새겨 놓는구나

참 고맙다.

소소한 위로 - 어둡기에 더욱 빛나는 별

오늘따라 유독 하늘이 참 예쁜 것 같아요. 붉게 물든 구름 사이로 물감을 풀어놓은 듯 수줍은 주황빛과 찬란한 황금빛이 흐르고 있는 걸 보니. 저리 고운 하늘을 보고 있노라면 내 마음속을 돌아다니는 온갖 근심들도 그 자태에 놀라 잠시 어딘가로 도망을 가는 것 같아요. 아무 생각 없이 멍해진 나를 보면 말이죠.

근래 하늘을 볼 시간조차 없이 살았는데 언제 저렇게 곱게 물들이고선 내 머리 위에 떠 있었는지... 조금 미안한 마음에 더욱 환한 미소로 고맙다는 인사를 했어요. 그러고는 부디 내 삶도 저렇게 고운 빛으로 계속 물들여질 수 있길 기도도 했고요. 유유히 흘러가는 저 구름이 이 바람을 들었을까마는.

오랜만에 예쁜 노을을 봐서 그런지 어찌 보면 하늘이 꼭 우리네 삶과 비슷하단 생각도 들어요. 한없이 푸르게 맑디맑았다가 때론 천둥, 번개로 시끄럽기도 했다가 그러다 언제 그랬냐는 듯 저 노을처럼 다시 예쁘게 물들여지기도 하니까요. 아, 물론 짙은 어둠에 또다시 뒤덮여지기는 하지만.

그래도 있죠, 어둠이 있기에 또한 빛나는 것들이 제 빛을 내는 법이랍니다. 마치 달과 별처럼 말이죠. 늘 그 자리에서 반짝이고 있었다 하더라도 어둠이 왔기에 더욱 선명히, 또한 아름답게 빛날 수 있는 거예요. 그러니 혹여 내 삶에 어둠이 찾아왔더라도 그 속엔 분명 반짝임도 함께 존재할 겁니다. 어쩌면 그건 내 곁에 있는 누군가의 위로일지도 몰라요. 조금만 눈길을 돌려보면 내 곁에서 힘을 내란 응원을 이미 보내고 있었을지도... 그러니 혹여 당신의 삶에 또다시 짙은 어둠이 찾아와 두렵다면 당신 곁에 숨어있는 그 반짝임을 믿고 다시 한번 더 힘을 내보는 건 어떨까요? 분명한 건 어둠 뒤엔 다시 밝음도 찾아오는 법이니까. 분명 태양은 떠오를 테고, 또다시 찬란해져 어여쁜 저 노을처럼 곱게 내 삶을 물들일 테니까요.

내 인생 전체를 보면 지금의 어둠은 아주 잠시일 뿐입니다. 짙은 어둠일수록 반짝임도 더욱 눈부실 테고요. 그러니 어쩌면 기회일 수도 있을 지금을 놓치지 마시기를요.

아, 지금 하늘이 아까와 다르게 어둑해졌어요. 근데 찬란히 타오르고 난 뒤에 찾아온 어둠은 어쩐지 지난 시간에 대한 미련은 없는 것 같아 홀가분해 보이네요. 그 속의 달과 별은 더욱 아름답겠죠?

부디 여러분들만의 달과 별도 당신의 어둠 속에서 지금 반짝, 빛을 내고 있다는 걸 알아주시길. 하여 그 힘으로 조금만 더 견뎌주길. 그럼 곧 당신의 태양은 끝내는 눈부신 빛을 보이며 짙은 당신의 그 어둠을 뚫고 또다시 떠오를 테니까요.

별빛

무심코 하늘을 보다 생각했어

나도 저리 살아야 하는데...
아주 오래전 출발한 빛이 지금 도착해 반짝이듯
나의 지금도 저리 되어야 하는데

그렇다면 먼 훗날 오늘의 내가 아주 멋있게 도착해
저 별처럼 반짝, 빛을 낼 수 있을 터인데

해서
곧장 들어와
게으른 내 마음에게 외쳐댔지

안 된다고 하지 마,
되게 할 거니까

늦었다고도 하지 마,
지금 시작해도 되니까

힘들 거라고 미리 겁도 주지 마,
그렇게 하나씩 쌓여 결국엔
내가 될 테니까

결국엔 도착해 빛나는 저 별처럼
찬란히 반짝이는 아름다운 나로.

뉴스

"넌 안 무서워?
뉴스를 보면 세상이 참 어둡기만 한 게
난 가끔 뉴스 보는 게 참 싫던데..."

"난 그래서 보는데?
이 무서운 세상에서
나의 하루는 무사히 잘 지나갔구나 싶어
어쩐지
그게
참
.
.
고마워서..."

계산기

아무 뜻도 없는 내 말에
더하고
빼고
곱하고
나누는 너.

그래,
이번엔 얼마가 나왔니?

창문

지하철을 탔는데 어떤 할머니 곁으로
또 다른 할머니 한 분이 앉으셨어.

그런데 순간 누가 먼저랄 것도 없이
서로의 사는 얘기를 스스럼없이 나누시는 거야.
그러다 봉지에 담긴 자두 몇 알을 떡하니 주시곤
"잘 가요." 하며
한 분이 내리셨지.

남은 한 분의 곁엔 따님이 계셨는데
궁금한지 그제야 "엄마, 아는 분이셔?" 하고 물으니,
할머닌 의외로 "몰라." 하시는 거 있지?

순간 알았어.
아, 어른이 된다는 건 창문이 열리는 거로구나.

마음의 창을 활짝 열고
그 누가 와도 반갑게 맞아주는 따스함이로구나.

그런 의미로 난 아직
애였구나...

반딧불이

넌 날 자꾸 잊어버리는 것 같아
할 수만 있다면 네게
반딧불이 하날 선물하고 싶어

그 빛이 켜질 때마다
내 생각 좀 하라고...

일기예보

날씨입니다.
어제 좌뇌와 우뇌에
천둥과 번개를 동반한 강풍이 몰아친 탓에
심장이 쑥대밭으로 되신 분들 많으시죠?

갑작스러운 호우특보에
두 볼 가득 폭우가 쏟아져
오늘 아침, 퉁퉁 부은 눈을 보고 놀라신 분들도 계실 텐데요.

아쉽게도
그의 마음 바다 또한 그리 편치는 않아 보입니다.
바람이 강하게 불면서 매우 거센 물결이 일겠는데요.
정체전선의 영향으로 당분간은
어두운 먹구름이 계속 자리하겠습니다.

한편
배려와 이해를 동반한 따뜻한 공기가
곧 유입될 예정인데요.

미안하다
고맙다
사랑한다를 품은
평온한 햇살은
서로의 노력에 따라
내일 오후쯤 내리쬘 것으로 보이니
앞으로도 미세먼지 없는 맑고 포근한 나날
계속해서 이어가시길 바랍니다.

이상 날씨였습니다.

사랑방

세찬 비바람이 불던 어느 날이었어.
버스를 탔는데 아주 조용한 그곳에서 순간
한 할머님이 소리 높여 기사님께 자신의 목적지를 말씀하시며
그곳에 가냐고 물으시는 거야.

하지만 기사님은 그곳엔 차가 서질 않아 다른 버스로
갈아타야 한다고 하셨지.

할머닌 그런 기사님 말씀에 당황하시며
"이제 어쩐다..."라고 한숨을 쉬셨어.

창밖을 보니 비가 억수같이 쏟아지는데
보는 내가 다 걱정스럽더라니까...

근데 그때였어.
그곳에 있던 사람들이 하나둘씩
할머님께 말을 걸기 시작하는 거야.

"할머니, 그냥 다음 역에서 내리셔서 다른 버스를 타고 가시죠."

"아니에요 할머니, 몇 정거장만 더 가서 내리시면
그 근처니까 거기에서 내리세요."

"거기서 내리시면 한참 걸어가야 되는데 이 비에... 안 돼요."

그렇게 긴급회의를 하던 중
한 중학생이 글쎄 핸드폰으로 검색까지 하고선
할머니 곁으로 뚜벅뚜벅 다가와,

“아니에요. 거기 말고 그다음 역에서 내리세요. 그게 더 가까울 거예요.”라고 말하곤 자리로 휙 돌아가는 거 있지?

할머니가 조금이라도 편해지시길 바라는 마음 때문인지
버스 안의 승객들은 전부 한마음이 되어버린 듯했어.

하지만 할머닌 그게 미안하셨는지 이내,
“나이 들면 그저 집에 있어야 하는데 괜히 나와가지고선...”
하시며 스스로를 탓하시는 거야.

그러자 그 자책에 그만
사람들은 또 한목소리로 말하고야 말았어.
어떻게 사람이 집에만 있느냐고...

그러면서 우산도 없이 그냥 비옷 하나만 갖고 계신 그분께
얼른 비옷부터 입으시라며 거들기 시작했지.

결국 할머니는 몇 정거장 뒤에 내리셨는데
천천히 두 발이 땅에 닿으실 때까지 우린 모두 그분을 바라봤어.

조심히 가시길 바라는 마음으로
아직은 살만한 세상이구나...
그리 느끼면서.

소소한 이야기 - 누군가가 던진 돌에 마음이 아프다면...

얼마 전 친한 지인께서 자신의 아이가 잘못을 저질러 크게 꾸짖었다가 웃음이 났다는 이야기를 해주시더라고요. 호되게 나무란 탓에 조금 미안했는데 그럼에도 아이는 1분도 채 되지 않아 다시 해맑게 웃으며 다가오더래요. 해서 "너는 화도 안 나니? 그렇게 내가 혼을 냈는데?" 하니까 아이가 글쎄, "엄마, 마음은 소중한 거니까 좋은 것만 담아야죠. 그러니까 안 좋은 기분은 담을 필요가 없어요."라고 말하더란 거 있죠? 순간 '풋.' 웃음이 나면서 어쩐지 저와 비슷하단 생각도 들었어요. 하지만 전 마흔이 다 되어서야 깨달은 사실인데 비해 이제 초등학생인 아이가 어찌 그걸 알았을까 싶어 그 나름의 철학에 감탄을 했었죠.

왜 살다 보면 그런 날이 있잖아요? 모진 일로 내 마음이 어지럽혀지는 그런 날. 그럴 땐 내 마음을 다스리는 게 참 쉽지가 않아요. 그래서 괜히 애꿎은 다른 곳에 화풀이를 하기도 하고, 평소 하지도 않던 행동들을 하기도 합니다. 그런데 그 뒤는 결국 후회더라고요. 개인적으로 저는 그걸 깨달은 순간 그냥 혼자 있는 걸 택해버렸어요. 그렇다 보니 누군가에게 하소연을 하는 것조차 이젠 별 의미가 없어졌어요. 해서 넘길 건 빨리 넘겨버리고 그 외에 남아있는 모든 건 그저 내 속에 꼭 가둔 채, 그것을 가만히 들여다보는 편입니다. 최대한 생각의 관점을 좋은 방향으로 이끌어가면서요. 왜 화가 나면 우선 시간을 가져보라고 하잖아요. 물론 싸울 땐 그게 생각이 잘 안 나요. 게다가 때론 정말 화가 나, 가슴이 터질 듯 답답할 땐 나도 모르게 무례를 범하기도 하고요. 또 그렇게 싸우다 보며 알게 된 상대의 진심과 본모습에 실망스러울 때도 있습니다. 하지만 그래도 있죠. 겪어보니 그래요. 계속 돌멩이를 들고 서로를 향해 던져봤자 결국 남는 건 아픔뿐이니 조금이라도 빨리 나 자신을 위해서라도 내 마음을 차분히 만드는 게 낫더라고요. 그리하다 보면 몰랐던 내 잘못과 앞으로의 방향과 내가 던진 돌에 아팠을 상대의 마음도 함께 생각하게 되더란 말이죠. 그러니 지금 내 마음의 기분을 적어보는 것도 좋고 낙서나 그림도 좋고요 아니면 그날 있었던 일을 일기처럼 적은 뒤 다음 날, 다시 읽어 보면 생각이 달라진 날 발견할 수도 있어요. 그런 작은 노력들로 내 마음을 잔잔하게 만드는 것 혹은 누군가의 마음을 아프게 하기보단 침묵을 택하는 것, 그것이 결국엔 나를 또 이런 나를 아껴주는 사람들에 대한 예의이자 사랑이 아닐까 싶습니다.

우리 모두는 부족해요. 음, 사실 전 완벽하다는 게 어떤 건지도 잘 모르겠지만. 그래서 부족하단 표현보단 다르다는 표현이 맞는 것 같아요. 그리 다른 우리가 만나 다른 곳, 다른 시대가 아닌 지금 이곳에서 서로 스치지 않고 함께 살아간다는 건 어쩌면 기적과도 같단 생각이 듭니다. 해서 이해와 배려, 그리고 다름에 대한 존중도 내 일상에서 또 내 삶에서 놓치지 말고 꼭 챙기고 키워야 할 요소이기도 하고요.

또한 삶은 배움의 연속이기도 하죠. 해서 내 마음에 누군가가 던진 돌도 어쩌면 무언가를 배울 수 있는 기회일 수도 있습니다. 나와 내 주변을 이해하고 존중하는 배움을 통해 더욱 잘 성장할 수 있는 그런 기회 말이에요. 그러니 너무 아파하지만 말고 요동치는 그것을 잔잔히 만들어 한번 잘 살펴보시기를. 그럼 그 속에서 또다시 나를 키우고 또 나를 성장시킬 그 무언가가 숨어 있을지도 모르니까요.

아, 지금 밖을 보니 조금 전까지 불던 세찬 바람이 멈췄어요. 화가 난 바람도 때가 되니 스스로 잔잔해지는 법을 알고 있는 듯합니다. 당신과 제 마음, 어느 한구석에도 평온 한 조각쯤은 언제나 머물러 있길 바라요. 그 누가 갑자기 돌을 던지더라도 그래도요.

등나무 꽃 아래에서

깊은 밤이었어
불현듯 잠이 오질 않아 난 창밖을 바라봤지

그런데 하늘에서 웬 천사들이 내려오는 거 있지?

무슨 일인가 싶어 자세히 보니
별을 타고 온 그들은
반짝이는 연보랏빛 작은 보석들을 초록색 실로 하나하나 엮어
나무에 주렁주렁 매달아 놓고 있는 거야

해서 난 밖으로 나가 살며시 그들에게 다가갔어

뭐 하고 있냐는 내 조심스러운 질문에
작은 천사 하나가 말하길

이 밤,
싱그럽게 빛나는 어여쁜 샹들리에 아래에서
즐거이 춤을 추며 파티를 하려 하니
시간이 된다면 너도 우리와 함께 하자고

하지만 난 그들의 휴식을 방해하고 싶지 않았지

대신 한 가지 약속을 했어

너희들의 놀이터를 누가 망치지 않도록
잘 보호하고 있을 테니
부디 매년 5월이면 이리로 와,
그 예쁜 샹들리에를 꼭 걸어달라고

그럼 난 그런 아름다운 등나무 꽃 아래에서
나만의 봄의 왈츠를 추겠다고 말이야.

60초

나도 오늘 60초짜리 광고 하나를 찍을까 봐.
아니, 드라마를 보는데 60초 후에 다시 시작한다잖아.

그리곤
자유롭게 뛰어다니며 자신감 넘치는 사람들이 보이더니
곧이어 평화로운 풍경 속에
따뜻한 차 한 잔을 마시는 이들도 있더라고.
게다가 활기차게 춤추며 신나게 웃는 그 모습은 또 뭐람.

순간 난 왜 저러지 못할까 싶은 거 있지.

그래서 생각했지.
나의 하루에도 저런 순간이 있어야겠다고.

해서 더도 말고, 덜도 말고
딱 1분 만이라도 지금 있는 그 자리에서 활짝 웃어보고
거울 보며 자신감도 키우고
자유로운 날 마음껏 상상해 볼까 해.

더도 말고, 덜도 말고
딱 1분이라도 말이야.

반성

참 철이 없어도 어찌 이리 없는지
돌이켜보니 그렇더라

살면서

친구의 손
연인의 손
혹은
길을 걷다 넘어진 아이의 손...

생판 모르는 남의 손은 잘도 잡았으면서
정작 곁에 있는 가족의 손은 왜 그리 잡기가 힘겨웠는지
뭐 그리 어려운 일이라고...

따스한 온기는 그들에게 더 나눠줬어야 했는데...

참
.
.
철이 없어도 이렇게나 없어요, 내가.

예의

있잖아, 문득 이런 생각이 들더라
나는 참 타인에겐 잘도 예의를 갖추면서
정작 나 자신에겐 왜 그리 버릇이 없었는지...

늘 부정적인 생각으로 우울해하고
앞선 걱정으로 불안해하고
대충 먹고, 또 대충 챙기며 내 몸을 잘 돌봐주지도 않은 데다
때론 바쁘단 핑계로 휴식조차 선물하지도 않았으니...

참
그간 나를 너무 막 대했구나 싶은 게
이제야 좀 미안해지더라고

해서 나도 이젠 이 인생에 예를 좀 갖춰볼까 해

제대로 먹고
휴식도 좀 취하고
날 위한 좋은 해석들을 해 나가면서
그렇게 내 삶에 환한 미소 하나쯤을 선물해 보려 해

그러니 혹여 내가 연락이 닿지 않아도
아, 이 친군 지금
자기의 생을 잘 돌보고 있구나
그리 여겨 줘

괜한 걱정은 하지 말고...

손

용서하시오.
앙상한 골 위에
세월이 굽이쳐 흐르는 그대의 손을
이제야 본 나를 말이오.

숱한 시간
애타는 마음 한껏 품고
모든 걸 토해낸 사랑을
나는 이제야 알았구려.

한 톨
어지럼 없이 맑기만 하던
그대의 손은
이젠 세월이 묻어
고단한 능선 새겨졌으니.

그 손에 흐른 그 시간을
가히 짐작조차 할 수 없는 나는
회한의 숨결, 그 한 자락으로
때늦은 사죄를 고합니다.

비록 여리고 철없으나
고개 숙인 당신의 그 마디에 새겨진 아픔
이젠 모두 제게 주시길...

하여
겨울 같은 그 손에
자그마한 봄꽃 하나 피어날 수 있길…

그럼
그제야 제 마음 깊이 묻힌
그 말을 온전히 꺼낼 수 있을 테니

.

.

.

그대여
사랑합니다
라고.

소소한 부탁 - 표현이 부족한 그대에게

요즘 전 어머니와 함께 맛있는 음식을 요리해 먹는 게 가장 큰 기쁨이에요. 원래는 먹는 것엔 즐거움을 별로 느끼질 못했었는데 한번 해보니 이것 또한 소소하지만 정말 큰 행복이더라고요. 그래서 하루에 한두 끼만 먹거나 때론 하루 종일 아무것도 먹질 않던 제가 이젠 어머니의 맛있는 음식들로 세 끼를 전부 다 챙겨 먹게 되었어요. 게다가 같이 먹다 보면 이런저런 이야기들도 나누게 되는데 그러면서 웃게 되는 그 시간이 참 좋더라고요. 좋아하는 사람과 즐겁게 또 맛있는 음식을 함께 먹는 것에 뒤늦은 감사함을 느낍니다. 덕분에 마음도 편해지고 그러다가 또 살도 쪄버렸지만 안타깝긴 해도 기분 좋은 슬픔이라 그냥 넘겨요.

저의 어머니께선 참 고생을 많이 하셨어요. 어쩌면 모든 부모님들께서 그러시지 않을까 싶은데 해서 부모님을 떠올리면 마음 한편이 참 뭉클해집니다. 사실 그렇기에 이 마음을, 이 감사함을 더욱 자주 표현해야 하는데 어째서인지 그것이 참 힘들어요. 쑥스럽기도 하고요. 마음을 전하는 것엔 원래 용기가 필요한 법이라지만 생각해 보면 혼자 계신 어머니께 또한 그 삶에 자그마한 기쁨이 될 수 있다면 용기 한번 내는 게 또 뭐가 그리 어려울까 싶어요. 그래서 저는 요즘에 어머니 앞에서 더욱 밝게 잘 웃고, 음식도 더욱 맛있게 먹으며 감사하다 또 사랑한단 인사를 자주 건넵니다. 사실 곁에 계신다는 그 자체만으로도 제겐 너무나 큰 힘을 주는 분이라 당연히 이 마음을 전해야 한단 생각도 들어요.

그러나 살면서 누군가에게 내 마음을 전하는 건 사실 참 어려운 일 중 하나입니다. 전부를 전할 수도 없고, 또 경우에 따라 전하고 싶어도 전하지 못할 수도 있고요. 상대방을 위한 배려로 정말 사랑하기에 애써 숨겨야 하는 경우도 있죠. 하지만 그게 아닌 이상 좋은 마음 즉 사랑한다, 고맙다, 예쁘다 등은 숨기지 않고 하면 할수록 참 고운 귀한 말이니 비록 어렵더라도 익숙해져야 할 필요는 있는듯해요. 사랑을 부르는 따뜻함이니까요. 그건 결국엔 내 삶을 더욱 아름답게 만들어 줄 테니까요.

또한 내 곁의 그들과 더불어 잊지 말고 나 자신도 챙겨주자고요.

잘하고 있다.

괜찮다.

그럴 수도 있다.

내가 나에게조차 표현을 안 한다면 삶이 너무 삭막하니까. 그러니 나 스스로를 아끼고 사랑하며 챙기는 마음 내 하루에 꼭 넣어 봐요, 우리.

해서 내 마음의 온도도 또 내 삶의 온도도 조금씩 올라 따뜻해지게. 그리하여 이 별에서의 나의 시간에 희망과 용기가 샘솟게 말이죠.

전 이 글을 쓴 뒤, 바로 실천해 볼까 합니다. 우선 어머니께 부족하고 못난 나를 기다려줘서 감사하다, 사랑한다는 인사부터 해볼래요. 아마 곱고 예쁜 그 미소로, "나도."라고 해주실 것 같아 벌써부터 행복해지네요. 그러고는 나에게도 말해줄래요. 괜찮다고, 잘하고 있다고, 앞으로도 잘 견딜 수 있을 테니 나를 또 나의 시간을 한번 믿어보자고.

3. 식어버린 마음엔 달콤한 사랑 두 스푼

당신과 내가 만난 건 어쩌면 '기적'일지도 몰라요.
아니, 꼭 당신뿐만이 아니라 지금을 살아가는 우리 모두가
말이에요. 생각해 보니 그렇더라고요. 어떻게 스치지도 않고 지금
이렇게 동시대에 태어나 가족으로, 친구로, 연인으로 만날 수가
있는 건지. 인연이란 게 참 신기하지 않아요?

그런데 우린 그렇게 기적처럼 만났음에도 불구하고
때론 서로를 헐뜯고 상처를 주며 멀어지곤 하네요.
사실 고백하자면 나도 아프면서 말이죠.

뭐, 서로 너무 달라 정 싫다면 어쩔 수 없겠지만
그래도 이왕이면 어렵사리 만난 인연인 만큼 지금부터라도 우리
서로의 다름을 인정하고 그리 아껴보면 어떨까요?

사람이 사람에게 줄 수 있는 가장 큰 선물을
나는 '위로'라 생각하거든요.

그러니 우리
너무 뜨겁지도 또 너무 차갑지도 않게
마음의 온도 딱 1도만 올려 따뜻이 사랑해 봐요.
서로를 위하며 그렇게 포근히... 어때요?
사실 나 지금 진짜 용기 내어 당신께 말하는 거예요.
그러니 거절하지 마요.
거절하면 나,
삐질 거예요...

호떡

너는 꿀을 품었니?
난 사랑을 품었는데...

밥

집 나와 내 밥 먹고서야 알았다
엄마 밥은 사랑이었다는 것을

날 위해 아파도 고되게 불 앞에 서 계셨다는 것을
그저 맛있다는 말 한마디 듣고 싶었다는 것을

자식 입에 들어가는 게 제일 큰 행복이었다는 것도

부족한 내 밥 먹고서야 알았다.

안과

안과에 가서 검사를 한다고
조그만 구멍에 내 눈을 대니 속에
초록 들판에 빨간 지붕 집 하나만 덩그러니 놓여있는 거야.

다른 거 없이 딱 그것만 보였어, 그것만.

잠깐이었지만
시끄러운 내 세상은 순식간에 사라지더라.

어쩐지 평온해 보이는 그 풍경을 보면서 생각했어.

주변이 소란스러울 땐 일부러 시야를 좁혀,
쓸데없는 것은 보지 않는 것도 하나의 방법이겠구나...

그래서 정했지.
이런저런 계산 없이 딱 나만 보기로.

그러다 깨달았지.
그 나에는 네가 전부라는 걸...

팥빙수

이거 봐봐

각기 다른 색에
각기 다른 맛에
각기 다른 식감이잖아

근데
섞으면 맛있잖아?

너도 나와 그랬으면 좋겠어

각기 다른 집에
각기 다른 성격에
각기 다른 삶을 살았어도

그렇게 조화롭게
그렇게 달콤하게
그렇게 사랑스럽게.

미스터리

내 3대 미스터리를 아니?

첫째는, 온종일 집안일을 했는데도 표가 하나도 안 나는 거.
아니, 어떻게 변함이 없니?
그렇게 열심히 했는데도 그대로야, 그대로. 쯧!

둘째는, 뭐 별로 하는 게 없는데도 때 되면 배가 고픈 거.
이건 결코 내가 먹는 걸 좋아해서 그런 게 아냐.
아니 뭐, 사실 맞을지도 모르겠지만... 흠!

그리고 셋째는

.

.

.

너만 생각하면 실실 웃음이 나는 나.

거참, 희한하지?
심지어 심장이 막 두근두근해.
나 원래 이렇지 않았거든, 진짜야.
어디 아픈 거 아닌가 몰라.
나 왜 이러니?

넌 아니?

데칼코마니

나 너 때문에 속상해
진짜 상처 받았어
어떻게 그런 말을 할 수 있어?
진짜 분하고 화나
네가 나한테 그러면 안 되는 거 아냐?
어떻게 그럴 수 있냐고
어떻게!!

.

.

.

.

근데...
너도 나와 같겠지?
나처럼 상처받았겠지?

나 때문에...

별

"별들은 모르겠지? 자기들이 반짝인다는 거?"

"모르겠지, 지금 네가 모르는 것처럼."

원더 우먼

난 오늘 원더 우먼을 봤어.
영화가 아니라 현실에서 말이야.

가녀린 몸으로
왼팔엔 무거운 짐을
또 오른팔론
작고 어린 생명을
번쩍 들어
사람들 틈에서 혹여 다칠까
얼른 버스에서 내리던

엄마.

정말 그 누구보다 멋있고 위대했지.

해서 난 알았어.
영웅은 멀리 있는 게 아니라
가까이, 늘 우리 곁에 있다는걸...

꽃비

흩날리는 그 꽃비 속에
그렇게 한참을 서 있었지요

혹여
봄빛이 스민 보드레한 바람에
수줍게 흩어진 마음
저 꽃잎에 묻혀
당신에게 보낼 수 있지 않을까 하여...

있죠, 어쩜 그건 당신에게 사랑이 온 건지도 몰라요. 누군가를 사랑할 때면 그가 참 소중한 탓에 내 마음이 전과 달리 여려지기 마련이니까. 해서 쉽게 상처를 받는다는 건 여태 차갑게 굳어있던 내 마음이 사랑으로 인해 이제야 원래의 제 빛으로 또 제 모양으로 예쁘게 되돌아오고 있단 뜻일지도 몰라요. 그러니 따가운 그 무언가가 나를 아프게 하더라도 슬퍼하지는 마요. 한번 잘 생각해 보면 아무것도 없는 텅 빈, 시리고 차가운 마음보단 나으니까. 그러니 슬픔보단 조금씩 당신의 마음에 채워질 그 사랑을 기대해 보자고요. 분명 당신의 날들은 그 빛으로 찬란하게 물들여질 테니. 해서 난 미리 축하해요. 당신의 그 모든 날들을. 웃고, 울고, 하지만 그럼에도 예쁘게 물들 당신의 그 아름다운 순간들을. 그리고 고백하건대, 나 지금 부럽다는 말을 이렇게 돌려 말하는 거예요. 사랑이 깃든 그래서 그것으로 아파하는 당신이 참 예뻐요. 그러니까 단단히 얼어있던 당신의 그 마음에 한 줌 햇살이 닿아 이제야 봄이 시작되노라고 말하는 그 상처에 울음으로만 답하지 마세요. 그러기엔 지금, 이 순간이 너무 아까우니까요.

한데 생각해 보니 또, 당신의 마음에 자리한 그는 어쩌면 연인이 아닐 수도 있겠네요. 내 마음에 스며든 그는 어쩌면 외면했던 나 자신일 수도, 혹은 가족일 수도, 혹은 생각지도 못한 그 누구일 수도 있겠어요. 해서 그들의 말에 눈빛에 그 행동에 지금 마음이 아플 수도 있겠네요. 음, 만약 그렇다면 그건 이렇게 생각해 보면 어때요? 드디어 '나의 시계'가 움직이기 시작했노라고. 나의 시간엔 참 많은 순간들이 스며있거든요. 배움의 순간, 사랑할 순간, 아파할 순간 등등 말이죠. 때가 되면 오는 그것처럼 나의 시간이 나에게 꼭 필요한 그 순간으로 지금 나를 데려다준 거라고 그렇게 한번 여겨봐요. 마주 봐야 하는 매 순간마다 불청객이라 여기는 것보단 양손 가득 배움이라는 선물을 들고 온 손님이다 생각하면 아픈 지금도 조금은 쉽게 견뎌질지도 몰라요. 비록 과정이 힘들고 어렵더라도 그래도 끝내는 그 순간들로 인해 나는 더욱 나아질 테니까. 그러니 아프게 깎이는 지금 이 순간도 또 힘들게 다듬어지는 순간에도 울지 말고 그것을 기쁘게 받아들여 봐요, 우리.

살면서 상처를 받고 아픔을 느끼는 날들은 참 많아요. 웃고 행복한 시간보다 더요. 그러나 달리 생각해 보면 그건 내 마음을 돌볼 수 있는 기회이기도 해요. 살면서 내 마음을 챙길 여유도 없이 내 마음이 외치는 소리조차 듣지 못한 채, 우린 늘 그리 바쁘게만 살고 있잖아요. 그러니 이제는 좀 챙겨주자고요. 고운 눈길로 깊게 들여다봐 줘요. 아프다고 말하는 내 마음이 조금은 덜 힘들도록 그리 토닥토닥. 힘들지만 그럼에도 좋은 방향으로 생각하며 내 마음이 기쁘게 숨 쉴 수 있게 그렇게 말이에요. 또한 이젠 물어봐 줘요. '괜찮니?'라고. 그간 참 고생 많았다는 따뜻한 위로도 함께요.

시소

네가 올라가 있음 나는 내려가 있고,
또 내가 올라가 있음 이번엔 네가 내려가 있고,
그러니까 무슨 말을 해도 서로 못 알아듣지.

에잇, 안 되겠어.

오늘은 마음이 무거운 널 위해
나는 한 칸 물러날게.
나 자신을 뒤에 둘 거야.

더는 서운해하지 않고,
칭얼대지 않고,
널 마주 보며 따뜻이 웃어볼래.
웃긴 표정도 지어줄게.
그러니 대놓고 웃어.

앗!
평형이네?
우리 사이의 균형이 이제야 딱 맞아떨어졌어.

그럼 아까 내가 했던 말 다시 해줄게, 이번엔 잘 들어.

자기야!
오늘도 변함없이
나는 너를

아주아주 많이

.

.

.

사랑해

현미경

기분이 좋지 않아 왜 그런가 싶어
내 마음 구석구석 들여다보니
너 때문이더라고.
그런데 좀 더 확대해 보고서야 알았어.

네가 상처받았었다는 거…

붕어빵

너와 나는 어느새 붕어빵이 됐네.
추울 때만 유독 반가운 그것처럼
가끔 봐야 반갑고 더 애틋해지니...

해서 점점 멀어져 갈 널 보며 난 새로이 다짐을 했어.

너에게 빠졌던 순간,
내 심장을 뛰게 했던 너의 예쁜 그 모든 걸 다시 찾아보자고...

어쩜 미처 보지 못한 더 나은 네가 있을 수도 있으니
더욱 자세히 널 사랑하자고 말이야.

그럼 가끔 봐서 반가운 붕어빵이 아니라
언제 봐도 귀여운 네가 될 테니
우리의 사랑도 더욱 달콤해지지 않을까?

스트로베리 문

바람결에 묻은 향기가
어찌나 달큼하던지

밤의 한 귀퉁이 수줍게 물든 그 구석에
그댈 향한 내 마음 고이 접어
몰래 숨겨놓았지요

혹여
그것을 품은 달이
휘영청,
분홍빛 달등 하나를 켜게 되면
지친 밤
땅거미 내려앉은 당신의 길 위에
조심히 비춰 드릴 수 있지 않을까 해서

그럼
이 마음 사뿐히 밟고서라도
그대의 내일은 좀 더 따스해지지 않을까 하여...

여름밤

여름이 내게 말했다
낮이 그리 더운 이유는
하늘의 사랑 때문이라고

해질녘,
고백하기 위해
황홀하게 물든 하늘은 구름을 찾아가
몰래 사랑한다 말하곤 했다고
그럼 그 사랑을 받은 구름은 복숭앗빛처럼 발그레해져
은빛 달 아래에서 사랑스레 그에게 스며들곤 한다고

그러니
부디 그런 그들을 응원해 주라고.

바리스타

있잖아,
난 요즘 삶이 꼭 커피 같단 생각이 들어.

하루하루
향긋하기도 했다가
또 힘들고 우울할 땐 쓰기도 하는 게
순간순간
고소함과 시큼함까지
어쩜 그리 여러 맛이 나는 건지...

어떻게 로스팅 하는지에 따라 맛이 달라진다더니
내 하루도 꼭 그런 것 같아.

해서
그리 달달 볶일 내 하루의 끝에 이젠 너를 한번 넣어볼까 해.
오직 너만을 위한 바리스타가 되어
쓴맛 가득했던 너의 힘듦에 달콤한 시럽을 넣고
폭신한 사랑도 얹어 네게 다가갈 거야.

그러곤
지쳤을 너를 따뜻이 안고선
부드러운 목소리로 이리 말하는 거지.

오늘도 그대
참
고생 많았어요라고...

아마도 이 커핀 평생 마셔도 질리지 않을 것 같아.

사랑이 스며 더욱 향기로운,
끝내는 행복으로 마무리될 그런 커피니까 말이야.

뻔한 질문

널 왜 사랑하냐는 물음에
난 무슨 그런 뻔한 질문을 하냐며
네 눈을 피했어

그야 당연히 너니까
너여서 사랑하는 건데도
사실 왜 너라는 이유로 충분한지는 설명할 수 없었거든

그런데 널 바래다주고 돌아오는 길에
문득 하늘을 보다 생각했어

저 달빛이 오늘 밤 네 창가엔 비춰주지 않았으면 좋겠다
힘든 네 하루가 어둠을 빌려 고요히 잠들길
해서 네가 편안해지길...
그래, 나에게 사랑은 그렇더라

그래서인지 그제야 난 네 그 뻔한 질문에
조금은 희미하게나마 답을 할 수 있을 것 같았어

널 사랑하는 이유는 애당초 없노라고
이미 설명할 수 없을 만큼 내 안은 너로 가득 차서
사실
그저 이 한마디밖엔 남기지 못하겠다고

그냥..

그냥...

나에겐 오직

·

·

너야

사랑은 뭐 그런 게 아닐까

오늘 네 하루는 어땠어?

난 말이야
오늘 갑작스러운 천둥소리에 놀라
창밖을 보니 창가에 맺힌 빗방울들이
서로를 당겨 하나가 되고 있더라고

혹여 저들도 놀라 저리 서로 부둥켜안았나 싶어
가까이 다가가 그런 그들을 유심히 바라봤지

그러자 이내
하나가 된 그들은
전보다 더 영글어진 채,
망설임 없이 아래로 아래로 내려가는 거야

그 낙하가 난 왜 그리 부러웠을까...

혼자가 아닌 함께 용감히 내려가는 그것을 보며
결국 사랑은 저런 게 아닐까 싶더라고

그냥 괜스레 그랬어
빗방울에게조차 질투가 나는
그런 날...

나의 낙하에도 저런 용기와 사랑이 있었으면 좋겠단

뭐, 그런 날...

귀뚜라미

새벽녘, 귀뚜라미 한 마리가 가만히 나를 부르길래
난 살며시 다가가
이제 가을이 오는 거냐고 물었어

그러자
귀뚜라미는 그렇다며 문득
지금이 기회라고 말했지

뜬금없는 소리에 난 무슨 뜻이냐고 물었어
그러자 귀뚜라미는

깊은 밤,
홀로 잠도 못 자며
그의 마음을 궁금해하는 널
내내 지켜봐 왔다고

해서
나의 인사를 듣지 못하는 네가 안쓰러웠다고

그러니
자신의 노래로 풀잎에 그 사랑을 새겨
오늘 밤 그에게로 가 대신 전해줄 터이니
부디 얼마 되지 않을 가을을
감미로이 물들이라고 말이야

난 수줍어진 볼을 감싸며 그에게 말했어

그럼 너의 그 아름다운 선율에
이 한 마디만 보태주겠니?

오늘도 내가
그대를
많이
사랑합니다 라고...

소소한 다짐 - 나, 이런 사람이 될게요.

나는 고민이 많은데 그런 나의 힘겨움에 그저 결론만 내려는 사람들이 있어요. 오랫동안 마음속에 품고 있던 걸 어렵게 용기를 내어 말했더니 자신의 지식만을 뽐내며 나름의 데이터로 결론만 내게 툭, 바쁘게 던져주는 사람. 조금 더 정성껏 나를 봐주었으면 좋겠는데 내 힘듦의 깊이보단 내 잘못의 무게만 재는 것 같아 속상한 뭐 그런 사람이요. 작은 상처에도 누구나 아픈 법인데 내 상처는 그저 별것 아니란 듯, 그 이유까지도 논리적으로 파고들어 나를 더욱 슬프게 하는.

그런 사람을 볼 때면 복잡한 생각이 더 엉켜 마음이 더욱 무거워져요. 근데 또 그 사이로 다행이란 생각도 함께 들어요. 내 생에 오래 두고, 고이 간직할 만큼의 사람은 아니란 걸 이제 알았으니까. 허탈함에 쓴웃음 짓지만 그 속엔 안도의 숨결도 포함이라 마음한 결 쓰다듬고선 그렇게 또 뒤돌아서요. 그런데 어쩐지 돌아오는 길에 문득 이런 생각도 드는 거 있죠. '그래, 아마도 그건 네가 할 수 있는 최선의 위로이지 않을까.'라고.

사람은 저마다 다르니까. 내가 원하는 대로 위로를 받겠다는 건 어쩜 욕심이 스민 이기적인 마음일 수도 있으니까. 해서 그가 무심코 던진 그 모진 말이 그만의 방식이라면 그래, 존중은 해줘야겠다. 너는 그렇구나...

하지만 그래도 있죠. 그런 다름을 인정하더라도 나와는 같은 곳을 볼 수 없는 사람과는 거리를 두는 게 나아요. 그게 서로를 위한 배려이자, 사랑이다 나는 그렇게 생각해요. 무슨 사랑이냐 하실 수도 있겠지만 미워하는 못난 마음은 나를 더욱 아프게만 할 뿐이니 갖고 있진 않으려고요. 그 또한 나와 다르다는 것뿐, 그렇다고 누군가에게 미움을 받을만한 사람은 아니니까. 그도 어떤 이에게는 또 다른 귀한 존재일 테니까.

대신에 나는 이런 사람을 만날래요. 나의 아픔을 무게가 아닌 깊이로 봐주는 사람. 머릿속 저울 대신 마음으로 공감해 주는 사람. 힘겨움을 내뱉는 내 용기와 그 속에 스민 작은 떨림까지도 따뜻이 바라봐 줄 수 있는 그런 사람이요. 해서 다음 날, 나의 오늘이 궁금해 내 안부를 물어봐 주는 그런 포근한 사람.

또한 나도 그런 사람이 될게요.

당신의 아픔을 함부로 판단하고 섣부른 결론으로 당신을 아프게 하지 않을게요. 지금 당신의 마음속을 어지럽히는 그 힘겨움에 무게를 재지 않을게요. 당신이 왜 그토록 힘들어할 수밖에 없는지 그 이유를 물어봐 줄게요. 그리고 들어줄게요. 애정 어린 마음으로 다정하게 당신의 곁에 머물게요. 혹여 마음이 급해 말을 더듬어도 아니면 그다음 말이 생각나지 않아 잠시 정적이 흘러도 괜찮아요. 그런 모습조차 당신은 참 예쁘니까.

짝사랑

늦은 밤
가물어진 마음에 한 잔 술이
비가 되어 내리더니
이내 너란 사람이 고이더라

그런 널 가만히 바라보다
은은한 달무리를 편지지 삼아 난
오늘도 하지 못한 그 한마디를 적고야 말았어

혹여 저 보드레한 바람이
이 마음을 속삭여주진 않을까 하고

하여 그 결에 네 향이 스며
그것만은 내 곁에 머물러주길...

간절히 네게 기울어진 마음만큼
괜스레 술잔만 기울여보는
그런 밤

사랑이란 말 대신
더없이
그리운
네가 생각나는 밤

참

.

.

보고 싶다

전자레인지

오늘도 난 내 마음을 열어
꽁꽁 언 네 마음을 넣고
널 아끼는 만큼
따뜻하게 데웠지 뭐야

그러자

'땡!'

우리의 사랑이 맛있게 익어버렸네

어쩌지?
난 네가 정말 좋아

웅장하다

어느 유머 게시판에서 봤는데
한 초등학생이 웅장하다고 느꼈던 순간이 언제냔 질문에
엄마 배를 봤을 때라고 적어놨더라고.

웃음이 났지만
한편으론 정답이란 생각도 들었어.

왜냐하면
그 배는 10달이나 귀한 생명을 품은 위대함이니까.

남은 반찬 다 먹으면서도
자식들 보면 그저 웃던 사랑이었으니까.

가족들 건강 다 챙겨도
정작 당신 몸은 돌보지 못했던 흔적이니까.

그러니
고요하지만 그 깊은 울림은 웅장할 수밖에.

참... 애가 나보다 낫네 싶어
웃음이 났다가 괜히 수그러드는 거 있지?

방문

여린 바람 타고 사뿐히 오신 그댄
차가워진 제 마음 틈 사이로
한 송이 눈꽃처럼 그리 스며들었습니다

보드레한 꽃송이가 심장을 두드린 탓일까요
그 설렘은 꼭 첫눈과도 같았지요

그 순간, 알았습니다
그것은 제게
더할 나위 없는
·
·
·
사랑이라는 것을

그래도 좋다

당신과 함께 걸을 수 있어서 참 좋아요

내게 맞춰 걷는 그 걸음 하나에
당신의 마음이 묻어있어 오늘도 그대의 이름은 사랑이네요

같은 곳을 향해 걸을 수 있어서
온기 가득한 그대의 손을 잡을 수 있어서
도란도란 나직한 그대의 소리를 들을 수 있고
지금이란 시간 속에 그대가 스며있어
참 기적과도 같은 이 밤

교교한 저 달이 이런 우릴 기억해 주겠지요?

비록 언젠가는 헤어질 그대이지만
그래도 난 내 곁에 있는 그대가
그대여서
참
.
.
좋습니다

소망

꼭 구멍이 뚫린 것 같아요
저기 저 둥근 보름달 말이에요
휘영청 떠서 얼른 들어와 보라는 듯,
어찌 저리 말간 빛을 품고 있는 건지...

있죠
어쩜 밤하늘이 깜깜한 건, 저 달 때문인지도 몰라요
너무나도 화사한 그 빛에
혹여 눈이 부실까
어둑한 천으로 그 빛을 덮어놓은 건지도 몰라요
아주아주 작은 구멍 하나만 남겨둔 채로 말이죠

해서 난
이 암흑을 걷어내면 있을지도 모를 따스한 그곳에다
간절한 마음 하나 살며시 녹여볼까 합니다

바라건대, 그곳엔 아득한 그대가 머무르고 있을 듯도 하여서요

그대여,
만약 제가 그대의 평안에 방해가 되지 않는다면
그리운 이 마음
보드레한 저 달무리에 고이 적어
한 결 바람에 실어 보내드릴 테니

그대는 그저 잘 있노라
수수한 답장 하나만 제게 보내주시기를...

그럼
지친 내 삶도 그 안녕에 잠시나마 쉴 수 있을 듯도 하니

그대여,
오늘 나는
쏟아지는 저 달빛에
여린 소망 하나
살며시 적셔볼까 합니다

부디
그대만큼은 꼭
그곳에서 행복하시기를 바라면서요...

새벽녘

가끔 잠이 오질 않는 밤이면
달빛을 피해 널 떠올리곤 해
그러다 그때의 우릴 별의 속삭임으로 들을 때면
괜스레 웃음이 나곤 하지

맑고 투명한 넌 순간 내게 다가와
아련한 살굿빛 웃음을 전해

그래서 난 용기 내어
초라하지만
잘 지내냐는 물음 하날 나의 하늘에 띄웠어

하늘은 이내 대답이라도 하듯
푸르름으로 은은히 날 감싸며
그저 잘 지내노라 바람 한 결 보냈지

그제야 난 스르르 눈을 감고선
겨우 너를 보내

이젠 잊어야 할 너를...

한참 후에

만약 그때
우리의 사랑이
가벼운 깃털에 지나지 않는다는 걸 알았더라면
나는 너를 조금은 더
소중히 대할 수 있었을까?

혹여
바람결에 날아가더라도
그 길이 내게 향하도록 말이야

.

.

.

문득
네가 그리운 밤이야

빨래

찌든 내 삶도
세탁기에 넣어 빨면 좀 나아지려나?

해서
너라는 햇볕을 쬐고
평온한 바람을 맞으며
내 마음도 다시 사랑으로 나풀대었으면...

달고나

너와 함께 한 시간이
결국 예쁘게 완성된 날,
내 삶은 나에게 이렇게 말했지

.
.
.

사랑, 참 달고나

소소한 편지 - 그대의 계절에 안부를 묻습니다.

바람의 손길 때문인지 나뭇잎이 수줍게 한들거리며 인사를 하기에 절로 눈길을 옮겼지 뭐예요. 그러자 작은 참새 두 마리가 술래잡기라도 하는지 나뭇가지 위를 총총 뛰어다니는 게, 꼭 어릴 적 제 모습을 보는 것 같아요. 하지만 웃음 짓는 제 마음 뒤로 곧장 뒤따르는 아쉬움 또한 감출 수가 없네요. 이젠 내가 어른이 되었단 당연한 그 사실에 말이에요. 그래서인지 "안녕?" 인사하는 저 알록달록한 잎이, 곁에 선 고운 꽃들이 참 부러워요. 제 계절이 되면 언제나 아름답게 그 모습 그대로 깨어나니까. 하여 질투가 나면서도 잠시지만 그 머무름이 눈부시기에 한편으론 응원을 해주고 싶기도 해요. 그 응원 속에 당신과 내 계절의 안부 또한 함께 담아봅니다.

그대여, 잘 지내고 계시나요? 당신의 계절이 어디쯤에 와 있는지는 몰라도 아마 그것은 당신의 생을 더욱 깊이 물들이기 위해 당도한 것이겠지요. 벚꽃 잎 흩날리는 봄의 향연이라던가 아니면 싱그러움 가득한 초여름의 아리따운 빛을 맞이하고 계신다면 그대여, 당신의 그 평온에 애태우던 마음 하나 살며시 내려 봅니다.

하나 만약 그것이 아니라면 차디찬 바람에 내딛는 걸음조차 두려워하고 계신다면 바라건대, 그것은 곧 그대에게 다가올 계절은 따스함뿐이라는 것을 기억해 주시길.

그저 흐르는 물처럼 그대에게 온 모든 일들을 유유히 흘려보낼 수 있기를...

반짝이는 별빛조차 때가 되면 쉬어가는 법이니 그대에게 찾아온 시련은 어쩌면 그간의 고단함을 잊게 하기 위한 신의 뜻일지도. 하니 주저앉아 울기보단 지쳤을 그대의 영혼을 어루만져 주기를.

모진 비도 매서운 눈보라도 결국엔 떠오른 저 빛에 녹아 사라지는 법이니 그대의 슬픔 또한 그러하다는 것을 알아주길.

그대여, 메마른 고목나무에도 새순은 돋아난답니다. 내 계절에 오랜 가뭄이 들어도 그 속에는 분명 파릇한 잎 하나 방긋, 웃고 있을지도 모를 테죠. 그러니 조금만 더 고운 눈길로 그대의 아픔을 바라봐 주세요. 그렇다면 그 눈길에 당신의 봄빛도 조금은 분주히 당신께 달려올지도 모르니. 영롱한 무지개 하날 들고서 그렇게 어여쁘게.

새로운 숨결 안고 태어나는 봄을 지나, 지나치게 뜨거운 햇살의 여름을 견뎌 결국 단단히 익고야 마는 가을이 오기까지 겨울은 그렇게 그 모든 것을 위해 존재하는 법이랍니다. 해서 그대의 계절 또한 그렇게 당신께 머물러야 할 이유를 갖고 온 귀한 존재일 터. 그러니 그것을 모두 기쁘게 맞이하여 주시길.

하여 그대의 생, 내내 찬란하기를.

시상식

연말이 되면 여기저기에서 시상식을 하는데
비록 레드 카펫도 없고, 예쁜 드레스도 못 입지만
나도 나한테 상 하나는 줄래

음...
이번 해에도
삶을 잘 꾸렸으니
최우수상을 줄까?

아님
인생이란 드라마에서 온갖 시련도 잘 참아냈으니
여우 주연상?

아니다
생각해 보니 둘 다 아니네

너와 함께 한 시간이 곳곳에 가득한 걸 보니
올해 내 제일 가장 큰 상은
대상이네

너라는
대상

열대야

뜨거운 기온이 꼭 내 마음 같달까
널 품은 내 마음은 언제나 여름이야
해서 이 밤이 더욱 반갑지
더운 핑계로 널 떠올릴 수 있는 이 밤이...

괜스레
아스라이 핀 저 별 하나에 못다 한 고백 새겨 넣으며
지금도 웃음 짓는 난
또 여지없이 깨닫곤 해

네가 스민 나의 여름은 참 푸르구나 하고

하여 그 고마움에 곧장 일어나 하늘에다가 부탁을 해봐
지금 저 어둠을 한 움큼 떼어내 그 속에다
오늘의 내 행복을 묻어둘 터이니

부디
곧 있으면 떠오를 저 태양이
그것을 녹여 그 빛을 너에게로 전해주길

그럼
그걸 받은 네가 오늘 하루 기쁨으로 환히 물들여질 테니
그것이 곧

나의 사랑이란 걸 말이야.

초승달

너로 채우기 위해
여태껏 난 그토록 나를 비워냈나 보다

사랑, 그것이 오고서야
비로소
완성이 되는 나를 보면...

윤활제

닳아버린 내 마음에도 좀 뿌리고 싶다
그럼
녹슨 내 꿈과
삐걱대던 너와의 관계도
다시 매끄러워질 수 있을 텐데...

매화꽃 필 적에

참 보드레한 결로 저를 토닥이더이다

괜찮다..
괜찮다...

교교히 내린 달빛 따라
별의 길을 걸어가신 님은
그리 제게 작별을 고하더이다

하여
이젠 전할 수 없는 이내 마음
흐드러진 저 매화꽃 한 줌에 간절히 빌어봅니다

곱디고운 이 향기가
바람에 실려 흘러가다
혹여 님 계신 그곳에 닿거든

님이시여,
부디 아리따운 그 향기를 타고
계절을 돌고 돌아
다시 제게 오시기를...

그땐 그대가 스민 그곳에
저 또한
못다 한 인사를 전할 터이니

그대는 그저
바람 속에 평안의 숨결 하나만 녹여
제게 전해주시기를...

꿀맛

속 썩이는 네가 떠나고서야 알았지 뭐야

지겹던 그 싸움은 함께이기에 가능한 일상이었고
그럼에도 또 눈 맞추며 언제 그랬냐는 듯 웃고 떠들던 시간은
결국 사랑이었으니

우리만이 알던 소박한 기쁨 또한
너여서
너와 같이 나눈 것이었기에
더욱 꿀맛 같은 휴식이었다는 걸

네 빈자리를 보고서야 깨달았지 뭐야

해서
지금의 이 여유로움은
결국 네가 보고 싶단 그리움이란 것도
참 모자란 난
이제야 알아버렸어

하여
.
.
.

참 간절해
네가

버스 손잡이

우리 동네 버스 손잡이의 색깔은 참 다양해
그리 다른 채 일정한 간격으로 떨어져 똑같이 흔들거리지
근데 난 그걸 보며 순간 너를 떠올렸어

너와 나는 서로 다른 색을 지닌 채
이렇게 떨어져 같은 시간을 살고 있잖아

때론 너무 가까이에 있어 싸우기도 하고
또 때론 너무 멀어 바람만 쌩하니 지나가게 되기도 하고

해서 난 아무리 봐도
너와 나의 사이는
저 버스 손잡이가 딱인 것 같아

나란히 서서 서로 부딪히지 않고
함께 흔들거릴 수 있는
그 거리가...

스포이트

아픈 네 마음에 고인
눈물 쭉 빨아내 버리곤

그런 널 보는 날 녹여

그렇게

한 방울
두 방울
.
.

그럼 넌 그제야
알게 되려나

널
사랑하는
내
마음을

기적

나에게 기적은
다름 아닌
지금
이 시간
이 시대에
너를 만나고
알게 된 것

다른 시간
다른 시대로 엇갈려
스치지 아니하고
그리 만나
그렇게 인연이 되었다는 것.

소소한 마음 - 약속해요, 우리.

인연이라는 건 참 신기해요. 만날 사람은 꼭 만나게 되어 있으니까 말이에요. 마치 태어나기 전, 서로 약속이나 한 듯 정해진 시간에 그리 꼭 만나 서로의 삶을 물들이며 그렇게 사랑을 추억을. 해서 당신을 통해 내가, 혹은 나를 통해 그대가 이 별에서 조금 더 충실히 그리고 더욱 충만하게 삶을 채워갈 수 있게 해주는 참 귀하고 아름다운 만남. 제겐 그런 존재가 당신이어서 참 좋아요.

아, 물론 그렇지 않은 날도 가끔은 있어요. 갑작스레 당신의 말투가 건조해지거나 당신의 관심이 내가 아닌 저 너머 다른 곳에 가 있을 땐 조금은 서운해요. 그래도 존중해 줄게요. 당신은 당신만의 세계가 있으니까. 하여 당신 또한 당신만의 고유한 빛을 안고 이곳에 온 귀한 사람이니 당신이라는 사람 그 자체를 바라봐 줄게요. 당신이 가진 그 색깔을 버리고 오직 나에게만 맞추라고 강요하진 않을게요. 그리고 바라건대, 나도 그리 대해줘요. 나란 사람을 이루기 위해선 참 많은 게 필요하거든요. 일도 친구도 가족도 사랑도... 해서 온전히 당신만 나의 세상에 매일 초대할 수는 없어요. 때론 일이 먼저이기도, 또 때론 온전히 나 혼자여야 하는 시간도 필요하니까요. 그러니 우리 서로 존중해 주며 이해하며 그리 아끼며 내내 재미있게 소중한 추억 쌓아가요.

그래도 만약 어느 날엔가 우리 사이에 힘든 시련이 찾아온다면 그래요, 나 솔직히 말하건대 어쩜 당신을 만났던 그날의 나를 후회하며 한숨 한 번 크게 쉬게 될지도 몰라요. 그래도 나는 나의 시간을 한번 믿어볼래요. 관점을 바꿔 그리 노력해 볼래요. 그럼에도 당신은 분명 곁에 있어줘서 참 고마운 사람일 테니까. 이리 말하는 이유는 오래는 아니지만 내가 이 별에 머물면서 한 가지 알게 된 건, 아무리 미워도 시간이 지나면 그때 못 해준 것 혹은 모질게 했던 나의 말들이 가슴에 남게 된다는 거예요. 그러고는 뒤늦게 알게 되죠. 당신이 내 삶에 존재했던 이유를. 머물렀던 그 시간에 채워야 할 건 사랑이었다는 것 또한. 그러니 그런 날이 오더라도 나는 당신을 흘겨보지 않을게요. 당신 또한 어쩜 가슴에 못다 한 이야기들이 많을지도 모르니까. 서로에겐 다 각자의 이유가 존재하는 법이니까. 해서 '당신은 그렇구나.' 하며 예쁘게만 바라볼게요. 당신을 있는 그대로 이해하기 위해 노력하며 그렇게 토닥이며.

아, 욕심인 건 알지만 당신도 한 번은 그래줘요. 내가 밉더라도 그래도요.

그리고 조금 쑥스럽지만 이 말도 덧붙여요. 나와 함께 맛있는 시간을 보내줘서 또한 서로 취향이 다르지만 그럼에도 각자가 좋아하는 음악을 함께 들으며 도란도란 정다운 이야기를 나눌 수 있어서 지금이란 이 시간 속에 당신이 머무르고 있어서 참 감사해요. 내가 밉더라도 미워하지 말란 부탁이 아니라 진짜로.

4. 인생의 계절이 겨울이어도 꽃은 피어나니

바람이 살랑,
속에 제법 겨울의 향기가 느껴져요.
차갑지만 다정함이 스민 향이랄까.
예전부터 전 겨울의 이미지가 그랬거든요.
밖은 춥지만 그럼에도 따스한 정이 있고,
나눔과 사랑이 있는.

물론 사계절 내내 그러면 좋겠지만
겨울은 추위 때문인지 유독 이맘때쯤이면
더욱 포근한 마음이 잘 드러나는 것 같아요.
게다가 그 속에서도 꽃은 피어나는 법이니 참,
계절의 힘이 어마어마하다는 걸 느낍니다.

해서 내 삶이 겨울이어도
그 속에서 한 송이 예쁜 꽃은 피어날 수 있다는 희망도
가슴에 새겨 봐요.

아무리 춥고 긴 힘듦이란 겨울이 찾아와도 말이죠.

당신의 겨울 또한 그러하길 바랍니다.
아픔이란 시린 눈꽃 속에서도
당신만의 향기를 머금은 한 송이의 꽃이 부디 피어나길.

하여 돌아온 나의 계절에 아렸던 그 아픔조차
아름답게 추억되길.

꽃

널 볼 때마다 생각해.
혹독한 추위도 이겨내고
모진 비바람도 견뎌내고
대체 그 작고 여린 몸으로 어찌 세상을 버티니?

그래서 난 오늘도 다짐해.
까짓,
별거 아냐!!
얘도 버티는데 나라고 못 버텨?
아자아자아자!!

나는, 너는, 우리는,
오늘도

할 수 있 다!!

강

유유히 흐르는 넌 어디로 갈지 정해져 있는데
난 어디로 흘러가고 있는지를 몰라 종종 불안해지기도 해

근데 한 가진 알아
그저 물 흐르듯이 살면
이리저리 부딪히고 또 흐르다 결국엔 도착한다는 거

그곳이 곧 나의 바다란 걸 말이야.

라디오

그저 잘 살아야 한다고만 하는데
네가 노력하면 분명 나타날 텐데 왜 그러고 있냐고.
미래가 불안정하다 투덜대지 말고,
얼른 안정된 길로 뛰어들라고만 외치는데...

사실 말이야, 어디에 주파수를 맞춰야 할지 모르겠어.

망설이느라 놓친 걸까?
내가 너무 소심한가?
"이것이 내 세상이에요."라고 보여줄 준비는 돼있긴 한가?

남들은 자기 주파수에 맞춰서 잘 살고 있나?
행복할까?

안정되게 살아도 불행하면?
나중에 나, 불행해짐 어쩌지?
인생 아깝다고 통곡하면? 그때 네가 받아줄래?

아무것도 안 되어 있으면 어쩌냐고?
근데 꼭 무언가가 되어야 하나?

에잇, 모르겠어.
생각은 또 다른 생각을 몰고 올 뿐이야.

그냥 나, 지금 하고 싶은 거 할래.
그게 지금의 내 주파수야.
그게 지금의 내 행복이고, 내 재미야.
그저 행복하고 재미있게 살고 싶을 뿐이야.
그러기 위해서 우리 태어났잖아.

뭐든 재미에서 시작하면 나타나겠지, 뭐.
재밌음 계속하고 싶고, 힘들어도 즐겁고, 그게 쌓여 실력이 되고
그렇담 결국 난 나로서 당당해질 테니까.
그리하다 보면 기다렸다는 듯, 자연스럽게 준비가 끝났다는 듯
별안간 갑자기 주파수가 맞춰질지도 모르잖아?
난 그리 살래.
지금의 내 주파수는 내 꼴리는 대로야.

검은색

있잖아, 사실
내 마음은 까맣다?

왜냐하면

검은색은 모든 빛을 다 흡수하기 때문에
뭐든 따뜻하게 만들어주는 색이기도 하거든.

해서 난 너의 모든 것을 다 흡수해 버릴 준비가 돼있어.
그 따스함으로 널 안아줄 준비도 말이야.

그러니 이제
그 슬픔을 내게 보이는 건 어때?

고정

네가 어디에서 뭘 하든
어떤 모습으로 어찌 변했든
너는
그냥 너야.

아무것도 달라지지 않는단다.

네가 어디에서 뭘 하든
어떤 모습으로 어찌 변했든
나는
그냥 나야.

늘 그랬듯
네 옆에서 널 응원해 줄...

겨울을 사랑하게 된 이유

길을 걷다 어둠이 날 사로잡을 때쯤,
제 빛을 깜빡이며 나를 이끈 가로등 하나가
내게 그러더라.

너의 걸음에 쓸쓸함이 묻어있는 걸 너는 아느냐고...

해서 그 따뜻한 물음에 그만
품고 있던 슬픔 하나를 절로 툭 뱉어버렸지 뭐야.

그러자 가로등은 글쎄,
오늘은 제가 벗이 되어드릴 테니 어서 와 기대라고 하는 거 있지?

난 그런 가로등 곁으로 다가설 수밖엔 없었어.
그러자 그 큰 벗은 내게 그러는 거야.

있잖아,
밤이 어둑한 건
그 어둠에 빛나야 할 것들이 제대로 빛을 내기 위함이니
너의 그 어둠 또한 널 더욱 빛나게 하고 있다는 걸 알아주라고...

바라건대 너 또한 먼 길을 달려온 저 별빛만큼이나
찬란한 존재이니 부디 그 반짝임을 믿어 의심치 말라고 말이야.

그래...

그의 위로에
순간 내 눈에 맺힌 이슬 하나가 툭, 떨어지는 걸 보았어.

하지만 그건 슬픔이 아니었지.

내 마음에 엉겨 굳은 상처가 녹아 흘러내린 영루였어.

흐르는 눈물마저 어두웠기에 더 아름다웠던 밤,
끝내는 오고야 말 나의 어둠이 조금은 덜 두려웠던
참
춥지만 따뜻했던 그 밤.

난 나의 겨울을 그렇게 사랑하게 되었어.
나의 그 큰 벗 때문에 말이야.

모래성

아니, 건들면 툭 부서질 것 같은 게
어찌나 내 삶 같던지...

해서 난 가까이 다가가
야무지게 꾹 눌러 그걸 더 다독여줬어.

언젠가 차디찬 파도에
모든 것이 다 휩쓸려 가더라도
가녀린 이 녀석은
결국엔 잘 버텨
끝내는 제 역할을 해낼 거라 믿으면서.

해서
나 역시도
그리 살겠노라
다짐하면서...

점묘화

어릴 때 미술시간에 배웠던 점묘화 기억나?
프랑스의 화가 조르주 쇠라가 개발한 화법인데
점을 찍어서 그림을 그리는 거야.

완성된 작품을 보면 그저 놀랍지.
저걸 다 어떻게 점으로 했을까 하고...

근데 그 그림은 뒤로 물러서서 봐야 제대로 보인대.
가까이에서 보면 잘 안 보이는 거지.

그러니
너도 오늘은 좀 그래 볼래?

슬픔이란 바다에 더는 가까이 다가가지 말고
한 발자국만 뒤로 말이야, 응?

그럼 그곳에 있는 내가
보고 싶었단
예쁜 핑계로 포근히 널 안아줄 수 있을 텐데...

오늘은...
좀 그래 볼래?

소소한 소망 - 무기력한 시간 속에 있더라도 부디...

가끔은 내가 나 같지 않은 날이 있어요. 그래도 나름 부지런하다고는 생각하며 살았는데 어쩐지 손가락 하나도 까딱하기 싫은 내 모습에 스스로도 놀라게 되는 뭐, 그런 날이요. 몸은 자꾸만 가라앉고 그런 몸을 억지로 일으켜 밥도 먹어보지만 그것도 먹는 둥, 마는 둥. 어쩐지 재미라고는 내 세상에서 다 사라진 듯해요. 우울해요, 막. 이래도 되나 불안해지기도 하고요.

근데 어쩜 이건 나에게 잠시 멈추라는 빨간 신호등이 켜진 건지도 몰라요. 그간 너무 바빴기에 그럴 수도, 혹은 몸도 마음도 아프기에 아니면 휘몰아치던 모진 일들이 다 지나갔기에 그럴지도 몰라요. 뭐가 됐건 이건 내가 '지쳤다.'는 뜻일 겁니다.

하지만 이런 나를 더욱 아프게 하는 건 바로 '나'예요. 그래도 이러면 안 되지 싶어 억지로 몸을 일으켜 하지 않아도 될 일들을 하며 움직여도 보고, 또 거울을 보면 무표정한 내 모습이 싫어 입가에 미소도 지어보지만 어쩐지 그게 더 어색한 것 같아 고개를 돌려 버리죠. 누군 햇볕을 쬐라, 또 누군 운동을 해라, 누군 사람들을 만나봐라 하지만 정말 한 걸음조차 떼기가 힘든걸요. 머리도 마음도 다 아는데 변명 같겠지만 정말 안 된단 말이죠. 혹시 이런 나를 게으르다는 하나의 단어로 정의할까 봐, 지나치게 예민하고 여려서 그러는 거라고 자신들의 잣대로 날 함부로 평가할까 봐 가뜩이나 엉켜있는 마음에 걱정 한 줌 더 넣어버려요. 분명 귓가엔 저런 모진 말들이 들려오질 않는데도 말이죠.

그래도 알고는 있습니다. 이런 나를 일으켜 세울 수 있는 사람은 오직 '나'밖엔 없다는 것을. 움츠러든 마음도 또 쓸데없이 눈치를 보는 습관도 전부 멈출 수 있는 사람은 오직 '나'뿐이라는걸요. 해서 우선은 지친 마음부터 달래봅니다.

그저 '괜찮다, 그동안 힘들었으니 이젠 좀 쉬어도 된다.'는 말로 나를 다독인 뒤, 아무것도 하기 싫어하는 나를 며칠이고 그 자리 그대로 한번 놔둬 봐요. 그러고는 나에게 말합니다. 결국 해낼 '나'이니 믿으라고. 그럼 그 믿음 때문인지 얼마 되지 않아 슬슬 몸이 움직여지기 시작해요. 그때 자리를 박차고 일어나, 앞으로 나아가죠. '이제 다시 시작이다.'라며.

삶은 참 짓궂어요. 게다가 언제나 어려운 문제만 내게 던져주니 밉기도 하고요. 하지만 지금 당신이 어떤 상황에 있건, 설령 무기력해 아무것도 하고 있질 않더라도 신이 이곳에 당신을 초대한 이유는 분명 그럴만한 가치가 있기에 그리 한 것입니다. 그 이유와 의미는 스스로 찾아야 할 테죠. 아니, 어쩜 당신만 모르고 있을 수도 있어요. 당신이 얼마나 고귀하고 아름다운 사람인지는. 그러니 믿으세요. 온 힘을 다해 있는 힘껏 당신을, 당신의 지금을. 하여 당신이란 존재를, 그 가치를, 당신에게만 새겨진 삶의 의미를 꼭 찾으세요. 당신이란 귀한 작품이 아주 곱고 촘촘히 잘 완성될 수 있도록 지금이란 이 시간을 그 속의 나를 충분히 사랑해 주세요. 당신은 이 별에서 분명 당신만의 역할이 있고 또 그것으로 충분히 삶은 한번 살아볼 만한 이유가 가득한 것이니 부디 포기하지는 말아주세요. 설령 지금 당신의 삶에 빨간불이 켜져 멈춰야 할지라도 그 시간의 당신조차 당신은 참 귀하답니다.

그럼에도 불구하고

무슨 이유로 지금, 여기 이곳에 있는지는 모르겠지만
한 걸음을 떼어 나아가더라도
부디 그 길이 내가 걸어가야 할
나의 길이기를...

혹 그 걸음을 붙잡는 것이 있어 멈추어야만 할지라도
곁에 있는 것이 무엇이건
온 마음 다해 그것을
사랑할 수 있기를...

나와 꼭 같이 걷는 걸음으로 내게 믿음을 주는 이와
나를 스쳐 앞서가는 모든 인연들에
나눔과 배움으로
지금, 이곳에서의 사명을 다 해낼 수 있기를...

하여
언젠가 뒤돌아봤을 때
곁에 자리한 이들의 웃음으로
그럼에도 불구하고 나아가야 하는 이 길을
묵묵히 걸어 나갈 수 있기를...

바라건대,
끝없이 이어진 이 기나긴 시간들 중
나의 머무름이
비록 찰나의 순간이라 할지라도
언제든 달려와 저 하늘, 제 곳에서 반짝이는 저 별빛처럼
나의 생 또한 부디 그러하길...

레고

무너지고 조립하고
또 무너지고 조립하고
그게 인생이지 뭐.

그러니
예기치 않게 삶이 흔들릴 땐
애써 버티지 말고
그냥 와르르 무너져 봐. 그것도 하나의 방법이야.

아프겠지
쓰릴 거고...

근데 모든 것이 무너졌어도 너에겐 시간이란 무기가 있잖니.
조각 난 네 세상은 비록 지금은 아픔일지라도
후엔 또 누군가가 기댈 멋진 동산이 될지도 모르잖아?
그러니 힘들어도 즐거이 다시 시작해 보자.

서툴고 혹 잘못 끼울까 두려운 마음에 망설여질지라도
걱정 마.
네가 삶을 내려놓지만 않는다면
조립은 언제든 다시 가능하니까.

불꽃 축제

가끔 봐야 환희로 가득 차지
매일 색색의 불꽃들이 터지면
그것도 일상이 되어 시들해져.

감탄이 나올 만큼의
예쁜 순간은 가끔씩만 오는 거야.

그러니 너의 하늘이 아직 어둡다고 좌절하지 마.
팡! 팡!
화려하게 수놓아질 네 불꽃 축제는
아직 시작되지 않았을 뿐이니까.

대출

마음이 가난해지던 찰나
네가 주는 위로로 또 하루를 사네.

고마워,
이자 붙여 굳센 나로 다시 태어날게.

동그라미

어쩜 인생은 직선으로 쭉 나아가는 게 아니라
동그랗게 그려지고 있는 거 아닐까?

그러니 그때 그것이 있어
지금 이것이 있는 거지

그래 돌이켜보면
지금 이러려고 그때 그랬나 보다 싶어...

시계

어느 날엔가
네 삶의 시계가 정각이 되면
그 일은 기다렸다는 듯 네게 나타나게 될 거야

좋은 일이든
싫은 일이든 말이지

만약 즐거운 일이 네게 와,
축제가 시작된다면
넌 그걸 맘껏 즐길 테지만

그게 아니라면
참 슬플 거야

그래도 잊지 마

시간은 결국 흐른다는 것을...

해서 그 순간이 지나면
기쁜 축제의 시간은 또 온다는 것도...

그러니
그저
너의 시간을 믿어.

놀이터

길을 가다 귀여운 꼬마를 봤는데,
아이가 그러는 거야.

“아빠, 저기 가면 놀이터가 있어.
우리 그리로 가서 신나게 놀자.”

그리곤 아주 가벼운 걸음으로
어찌나 씩씩하게 걷던지
그 모습이 참 행복해 보여 난 부럽기까지 했어.

그러다 문득 생각했지.
나의 놀이터는 어딘가 하고.
분명 있었는데 언제 사라져 버린 거지?

그러다 깨달았어.

아, 내 걸음 닿는 하나하나가 결국 내 세상이로구나.
그럼 그곳은 내 마음의 기분에 따라 놀이터가 되기도 할 터.

그렇다면 난 이제부터 좋은 마음으로 걸음 하나하나를 옮겨야지.
그러다 보면 결국엔 내 세상도 저 아이처럼 다시 신나는 일로
가득해지지 않을까?

변신

어릴 적, 내가 보던 만화에선 주인공들이 항상 변신을 했어.
주문을 외우면 그들은 마법의 힘에 둘러싸인 채,
언제나 멋있게
눈앞의 일들을 해내고야 말지.

그래서 나도 한 번쯤은 그러고 싶어 주문을 만들어봤어.
근데 당연하게도 아무 일도 일어나지 않더라.
나의 일들은 그대로더라고...

하지만 있지,
비록 내 주문이 아무런 힘을 발휘하진 못해도
난 이거 하나는 알아.

나도 지금 변신을 하고 있다는 거...

힘든 지금의 삶은
더 굳센 나로 바뀌기 위한
마법이란걸...

해서 더욱 단단해진 나로
끝내는 잘 완성될
선물이라는걸...

어쩌면 말이에요. 당신의 불행은 지금 당신께 말을 걸고 있는 건지도 몰라요. 그건 모두 다 다를 것이기에 한 가지로 이렇다 정의할 순 없지만 그래도 분명한 건, '어디 한번 힘들어 봐라.' 아니면 '무언가를 잘못한 너이니 벌을 줄 테야.'등의 짓궂은 말은 아니란 거예요. 아마 당신께 온 나름의 이유가 있을 테죠. 그 이유에는 당신이라면 충분히 이것을 잘 넘기리란 믿음도 스며있을 거고요. 힘들지만 그럼에도 스스로를 잘 키워 단단히 맺힌 당신이란 열매를 더욱 찬란히 세상에 내놓기 위해 그래서 찾아온 건지도 몰라요. 또한 지금 이 순간의 고통을 넘긴 뒤 찾아올 행복의 가치를 잊지 말란 간곡한 부탁일 수도 있고요. 그러니 주저앉아 울지만 마요. 그 소리를 귀 기울여 들어봐요. 당신께 전하고자 하는 불행의 당부를, 그 의도를, 그 속에 숨겨진 믿음을, 응원을, 그리고 선물을.

저의 경우엔 어느 가을날 불행이 아주 깊숙이 제 마음을 두드렸어요. '이 봐, 지금 이럴 때가 아니야. 더 늦기 전에 서둘러. 어서 챙겨!!'라고요.

참 건강하셨던 저의 아버지께서 나이가 들어감에 따라 조금씩 몸이 약해지며 급기야 거동까지 불편해지게 되셨을 때, 아버지께서도 참 힘드셨지만 곁에 있는 가족들 또한 정말 힘든 시간을 보냈었습니다. 그러던 중, 아버지와 함께 병원에 가기 위해 제가 같이 길을 나섰던 적이 있었어요. 한데 갑자기 저를 부르시며 손을 내미시더라고요. 아마 앞에 나타난 길이 오르막길이어서 그러셨던 것 같아요. 해서 전 아버지의 손을 잡고서 천천히 걸음을 옮겼습니다. 그런데 그때 알았지 뭐예요. 아버지의 손을 잡은 게 태어나 처음이었다는 것을. 참 다가서기 힘들었던 분이라 그간 손을 잡을 엄두가 나질 않았었다는 것을요. 그저 표현이 서툴렀을 뿐 마음은 참 여렸던 분이셨는데 저는 어린 마음에 그걸 이해하지 못했었어요. 그걸 깨달은 순간, 마음에서 찌릿한 무언의 울림이 울리더군요. 그 속엔 내 생애에 한 번은 꼭 새겨졌어야 할 순간이었는데, 바보같이 손도 안 잡고 여태 뭐 했느냐는 다그침도 있었어요. 좀 더 일찍 이 온기를 느꼈어야 했는데... 해서 그 뒤로는 아버지의 손을 더욱 자주 잡아보았어요. 감사하다는 인사와 가끔은 사랑한다는 말도 용기를 내어.

이젠 아버지의 빈자리를 보며 그리워하게 되었지만 그 속엔 못다 한 이야기와 함께 짙은 행복도 물들어있어요. 또한 그 시절이 참 힘들었어도 이젠 알아요. 그럼에도 내겐 꼭 필요한 소중한 순간이었다는 것을.

그러니 불행은 어쩜 여태 놓치고 있었던 그 무언가를 내 삶에 채워 넣을 수 있는 기회일지도 몰라요. 해서 잃는 게 아닌, 소중한 그 무언가를 얻기 위한 과정일지도요. 또한 서툴지만 그만의 방식으로 당신께 조금은 남다른 응원을 하고 있는 건지도 몰라요. 비록 자신이 머물더라도 당신이라면 분명 잘 해낼 것을 알기에. 해서 더욱 어여쁘게 좀 더 단단하게 맺혀 당신의 삶을 잘 걸어 나갈 것을 믿기에.

그러니까 지금 웅크리고 있지만 말고 당신의 그 불행을 마주해 주시기를. 그 속에 숨겨진 믿음과 응원 또한 놓치지 말기를. 하여 당신의 인생에서 꼭 필요한 그 모든 걸 아름다이 새겨놓길. 그리하다 보면 알게 될 테죠. 나의 불행은 결국 내 생에 찬란한 선물이었다는 것을요.

다른 길

조금 다르면 어때?
새로움엔 늘 그걸 처음 시작한 이도 있었는걸

그러니 너도
포기하지 말아

틀린 길이 아닌
다른 길일뿐이니까

그저 너의 세상에 맞춰
한 걸음, 한 걸음
나아가면 되는 거란다

그럼
그 길엔 곧 확신이란 카펫이 깔릴 테고
그 위에서 넌 너와 같이할 이들과 함께
오롯이 너만의 세상을 잘 만들어가면 되는 거야

아주아주
행복하게 말이지

그러니
지금 네가 들은 안된다는 그 말은
절대 상처가 될 수 없어
알겠니?

마늘

그리 매운 걸 품고도 단단히 익는 널 보며
부디 바라본다.

내 삶의 이 아린 상처도 너처럼 그리되길...

새순

있잖아,
지금 나에게 일어난 일들을 보면서

이건 굳이 겪지 않아도 될 일 아닌가?
몰라도 될 사실 아니냐고? 안 봐도 되는?

뭐, 그런 생각이 드는 게

대체 팔자가 얼마나 드세면 이런 건지
내 인생에 욕 한 바가지라도 그냥 확 퍼붓고 싶더라니까...

근데 얼마 전 집에 오다 우연히 오래된 고목 하날 봤는데
아, 거기에 작고 어여쁜 새순 하나가 쏙 올라와 있더라고

해서 난 가까이 다가가
넌 어쩌다 그곳에 네 생을 펼쳤니 안쓰럽게 바라봤지

한데 그러다 든 생각이 뭔지 알아?
어쨌든 쟤도 결국엔 살긴 살겠더라고
모진 비바람 다 맞으면서 말이야

그래서 나도 그런 새순을 보며 다짐을 했지
쓸데없는 생각 더는 하지 말자고

겪지 않아도 될 일은 애당초 없노라고

그저 지금 눈앞에 이 일이 왔으면 그냥 헤쳐 나가면 그만이라고
이걸 해결할 능력 정도는 되기에 아마 이 일도 내게 온 걸 거라고

그리고 이걸 다 넘어섰을 때 난 분명
지식이든
도량이든
아님 체력이라도
나아져 있을 테니

그만 투덜대고 어디 나 자신을 한번 잘 키워보자고

모진 비가
거센 바람이 또 짙은 햇살이
저 여리고 어린 새순을 키우듯이 말이야.

선물

그거 아니?
삶에 당연함이 없다는 걸 안 순간
생은 그제야 꽃을 피우기 위해
분주해진다는걸...

그러니 아직 채 피어나지 않은 여린 꽃아,

세찬 바람 한번 불었다고 꺾이지 마라.
너의 그 슬픔 또한 당연하지 않으니
모든 순간엔 이유가 있다는 걸 알아주렴.

어느 날엔가
바람이 머문 자리에 햇살이 찾아들면
그때 비로소
너의 잎은 찬란히 펴져 향기를 전할지니.

꽃아,
지금 널 흔든 그 바람을 두려워하지 마라.

그것은 곧
네 생을 피울 아름다운 선물이 될 거란다.

이슬

춥고 어두워도
그래도 나의 이 밤이 버틸만했던 건

누군가가 준
이슬 한 알 때문이었어.

혹여 밤의 정적이 깨질까
참 살며시

그 여림이 부서질까
참으로 조심히

곱게도 빚어 나뭇잎에 올려놓고선
내게 이러더라지 뭐야.

결국 넌
이리 반짝일 거라고...

향기

얘, 있잖아.
좋은 향기가 나기 위해선 시간의 힘이 필요하잖니.
향수를 만들 때도 그렇고
꽃도 그렇고...

꽃들도 봐봐, 어디 한 번에 피어나디?
걔네들도 제 계절이 와야 아름답게 피어나
그만의 향기를 머금을 수 있는 거잖니.

너 또한 그래.

오직 너만의 색깔
너만의 향을 갖추기 위해선
시간의 힘이 필요한 거야.

그러니 지금 네 인생의 계절이 겨울이라 해서
기죽어 있을 필요는 없어.

그저 두텁게 옷 입고
묵묵히 너의 길을 가다 보면
언젠간 따스한 햇살 한 줌에
얼었던 땅 녹아나
봄빛 품은 바람이
네게 고생했다 전할진대...

그때 비로소 넌 너만의 향기가 머금어질 테니
언젠간 봄이 올 거라는 걸 부디 믿어 의심치 말아 주렴.
어쩜 그 봄은 이제 다 왔을지도 몰라.

이토록 귀하고 아름다운
너에게로 말이야.

모소 대나무

혹시 모소 대나무를 본 적 있니?
그 대나무는 말이야
4년 동안은 글쎄, 겨우 3cm만 자라다가
5년째 될 때부턴 하루에 무려 30cm씩 자라난대

어쩌면 지금 너의 그 힘겨움 또한 그런 게 아닐까?
너라는 뿌리를 깊게 내리는 중에 있는 거지
알아, 많이 지칠 거야
힘든 과정이야 분명

하지만 그래도 있지
지금 이렇게 너 자신을 단단히 심고 나면
언젠가는 너의 세상이 훌쩍 자라
울창한 숲이 되어
푸르게 빛날 텐데

힘겹더라도 우리,
조금만 더 견뎌보는 건 어떨까?

어쩌면 너의 5년은
내일부터 당장 시작될지도 몰라

또 알아?
하루에 30cm가 아니라 상상 그 이상으로 자라날지?

그러니 지금의 그 시련들은
결국엔 너를 성장시킬 자양분이 될 거라는 걸
믿어 의심치 말아

결국엔 넌 저 대나무처럼
크게 자라나 그 어떤 바람에도 꺾이지 않을
단단한 사람이 될 테니까.

오뚝이

불행아,
난 말이야
아무렇게나 밀어도 오뚝오뚝 일어설 거야

왜냐하면
뭐든 시작이 있음 끝도 있기 마련이라
네게도 정해진 시간이 있다는 걸 난 알거든

해서 너의 시간이 끝나면
또다시 찾아올 내 행복을 위해서라도
난 끝끝내 벌떡벌떡 일어서고야 말 거야

그러니
어이, 불행!
자! 와 봐!!
네가 아무리 덤벼도 난 결코 두렵지 않아
어차피 내 삶은 원래대로 되돌아오게 돼 있으니까 말이야

즐겁고 평온한 내 자리 그대로 말이지.

소소한 응원 - 그럼에도 당신은 참 예뻐요.

왜 가끔은 그런 날이 있잖아요. 뭘 해도 안 되는 그런 날. 아침부터 뭔가 일이 자꾸만 꼬이고, 하루 종일 내가 가는 곳마다 언짢은 일이 생겨 어쩐지 화가 잔뜩 나는 그런 날이요. 듣지 않아도 될 모진 말들은 자꾸만 내 가슴을 파고들며 '역시 나는 안 돼.'라는 애써 눌러놓은 그 생각에 확신이 더해지는 그런 날. 그래서 스스로가 자꾸 작아지고 내가 봐도 내가 못난 그런 날이요.
혹여 오늘이 당신에게 그런 날이라면 그래도 있죠, 그건 당신의 잘못이라기 보단 그냥 그래야 할 시간이어야 하기에 그런 건지도 몰라요. 소나기가 내리기 위해 아주 잠깐 머문 먹구름 같은 존재요. 그러니 잠깐 머물 그것에 당신마저 어두워지면 안 돼요. 먹구름도 결국엔 맑은 햇살이 나올 수 있게 때가 되면 자연스레 흩어지기 마련이니까. 사실 당신도 알고 있잖아요. 내 삶이 언제나 맑을 수만은 없다는 것을. 아니, 어쩜 너무 평안히 흘러가는 삶도 있을 수 있겠지만 그건 아무 배움이 없는 것과도 같은걸요. 그러니 어쩌면 당신에게 찾아온 먹구름은 당신의 삶을 더욱 잘 이끌어줄 스승 같은 존재일지도 모릅니다. 그러니까 오늘 혹은 생각보다 조금 더 오래 그것이 머문다 하더라도 두려워하지 말길. 내 삶에 꼭 스쳐 지나가야 하는 날들 중 하나가 온 것뿐이니까요. 그것을 꼭 스치고 보내야 하는 이유는 분명 존재할 겁니다. 그 이유에는 그래야 당신이 좀 더 어여쁘게 삶을 더 촘촘히 잘 채울 수 있기에 그러한 것 또한 포함일 거고요. 하여 이 순간 속의 당신은 눈이 부시도록 예뻐요. 그럼에도 삶을 잘 이어가기 위해 노력하는 그 다짐과 그 걸음과 그 눈물까지도 말이에요. 그러니 '못난 나'라고 생각하지 말아요. 당신은 그럼에도 언제나 최선을 다하는 정말 멋진 사람이니까. 그 선택을 당신의 그 시간을 믿어주세요, 부디.

베스트셀러

한 페이지, 두 페이지
그리 조금씩 적혀 한 권의 책이 되듯

오늘 하루
또 다가올 내일

그리 쌓여 인생이 되는 것 같아

오늘 네 페이지엔 어떤 하루가 새겨졌니?

뭐가 됐든
있지,

너무 걱정하지는 마

하루하루 쓰인
네 선택과
노력과
그 모든 서사는 결국
너를 무언가로 완성시키기 위한 과정일 테니까

해서 끝내는
감동적인 이야기로 완결될 테니까

나중 되어 어느 페이지를 펼치건
환한 미소가 지어질 네 생은
그렇게 다음 권이 기대될
베스트셀러가 될 거란다

그러니 너의 삶을 함부로 덮지 말렴

그러기엔 아직 네게 다가올
흥미로운 이야기들이 많이 남아 있을 테니...

능소화

어느 날이었어
"오랜만이야."라는 누군가의 인사에 고갤 돌려보니
여름이 활짝 피어나 내게 손짓을 하고 있더라고

난 반가운 마음에
신나게 달려가 그 품에 포옥 안겼지

이내
여름이 내게 그러는 거야

나의 시작은 언제나 아름다워 기분이 좋다고

하지만 난 봄이 더 아름답다며 여름을 한껏 놀렸어

그러자 여름은 고개를 저으며 내게 말하길,

저기
담장 너머 떠오른 주홍빛 저 마음을 좀 보라고
참 곱게도 단장해 수줍게 피어난 저 사랑은
분명 내 님을 기다리는 그리움일 테니

혹여 상처라도 입을까
한 줌 햇살로 그를 지켜줘야 한다고

대체 얼마나 애가 타면
장난스러운 이 궂은 날에 피어날꼬

해서 나도 나의 하늘에게 부탁을 했어

부디 저 마음이 다치지 않게
바람도 살살
비님도 적당히 일을 하라고 말이야

그러자 여름은 한껏 웃으며 내게 속삭였지

사실
해님도
비님도
바람조차도
저 사랑이 이루어지길 간절히 바란단다

하지만
그 사랑이 이루어지면 저 고운 빛을 더는 보지 못할 테니
때론 지나치게 비를 퍼붓고, 바람을 보내는 거야

난 치사하다며 여름에게 눈을 흘겼어
하지만 그는 가만가만 덧붙이며 이리 말하는 거 있지

걱정하지 말렴
그럼에도 결국 모든 꽃은 아름답게 피어날 테니...
그리고

너 또한 그러하단다

그러니 얘야,
넌 그저 지금처럼 환히 웃으렴

저 주홍빛 찬란한
능소화처럼 말이야

피사의 사탑

피사의 사탑은
불안정 속의 완성품으로 불린대

그런데 생각해 보면
우리의 마음속에도 저것 하나씩은 가지고 있는 것 같아

왜냐하면 분명 오늘, 지금 여기까지
참 많은 걸 쌓으며 이뤄왔는데도
참 많이도 불안해하니까

하지만 알고 있잖아?
우린 이만큼도 잘해왔다는 걸

지금 여기까지 해온 걸 보면
앞으로도 분명 잘해 낼 거란 것도

그러니 그저 여태껏 해 온 것처럼
앞으로도 천천히 해나가면 되지 않을까?

그리됨 공들여 쌓은 나의 시간들은
결국엔 내게 꼭 맞는 가치가 되어 세상을 밝힐 테니

그렇게 한 발 한 발 내딛다 보면
끝내는 내 삶도
불안정 속에 아름다운 완성으로 맺어질 테니 말이야.

먹구름

얘, 흰 구름만 구름이 아니란다
먹구름도 결국엔 구름이야

그러니 지금 네 마음에 핀
그 한 조각의 검은 구름 때문에
곧 비가 올까 두렵거든 한번 생각해 봐

그 비가 결국 너를 어떻게 만들지를...

흠뻑 젖어 되레 시원하게 할지
아님 그 비를 맞지 않기 위해 우산을 준비하게 할지

어쩜 비를 구경하며
그제야 넌 너를 온전히 돌볼 수 있을지도 모르겠구나

뭐가 됐든
어떤 선택을 하건 그건 네 자유지만
이것 하나만큼은 알아주렴

비록 지금은 좀 어둑해졌다만
그것은 곧 있으면 흩어질 하나의 구름이라는걸

때론 모진 비가 너를 적셔도
그 비로 인해 모든 것이 씻겨 내려갈 수도 있다는 걸

또한
그 비가 그치고 나면 깨끗해진 그곳엔
다시 말간 빛이 내려와 널 반짝이게 할 거란 것도

해서
삶의 모든 궂은 날들은 어쩌면

잊고 있던
맑은 하늘 같은 나를 되찾는
기회인 거란다.

믿음

참 어려운 일이야
내가 원하는 대로 산다는 거
기쁘게 산다는 거 말이야

때론 내가 뭘 원하는지도 모를 만큼
깊은 늪에 빠져 허우적대기도 하고

나도 언제나 밝고 기쁘게 살고 싶지만
하루하루 책임져야 할 것들이 산더미라
웃음보단 한숨이 먼저 나오는 게 현실인데
무슨 기쁨이고 행복이야

지금의 내가 이리 힘든데...

근데
그런 건 있더라

어둡고 슬픈 삶인데
그럼에도 살아지더라
그럼에도 난 또 버텨내더라

그래서 알게 됐지
난 내가 생각했던 것보다 꽤나 강한 사람이라는 걸

남들이 뭐라 하건
난 그렇게 여기까지 잘 걸어왔다는 걸

그러니
앞으로의 나도 또한 잘 해낼 거란 것도

해서 이 생이, 그 속에 함께 하는 내 곁의 그들이
참 고맙더라

그래, 그러다 보면 오겠지
나의 봄이
그 속에 피어날 나라는 꽃이

그렇게 지금 가진 이 믿음이 곧
내 유일한 기쁨이야

바보

얘, 네가 바본 줄 아는 거 보니 바보는 아닌가 보다
원래 바보는 자기가 바본 줄 모르거든

아니 뭐, 혹시라도
진짜 바보면 어때?

그저 선하고 기쁘게
네 세상 잘 살고 있음 그거면 된 거지

우리 모두는 그러려고 온 거잖아
내 역할 다 하는 그날까지
배우고
베풀고
또
사랑하기 위해

그러니 걱정 마
남의 것 욕심 안 내고
열심히
바보처럼 신나게 살고 있으면 그거면 된 거야

그저 허허
바보같이 웃기만 해도 모자란 곳이
바로 여기,
네가 살고 있는 이곳이니까...

해서
오늘의 네가 좀 모자랐다고
숱도 없는 그 머리 쥐어뜯을 필요는 없어

내일은 또 오니까

바보처럼 다 잊고
또 바보처럼
다가올 내일을 기다려

그럼
그 하루들이 쌓여 너의 생이 완성될 테니
나중 되어 돌아봤을 때
참 즐겁고 신났던
그래서 더욱
반짝였던 그런 삶으로 말이야

75번에서 24번이 된 순간

뭐해?
나는 지금 상담사에게 뭘 좀 물어보려고 전화를 했는데
대기자가 너무 많아
상담이 지연되고 있다며 죄송하다고 그러네
그러면서 내 대기 번호가 75번이래
어쩌겠어, 계속 기다려야지

어? 이제 24번이래
많이 줄었다

근데 문득 또 난 이 정적 사이로 그런 생각이 든다
내 인생의 행운은 대체 어디쯤에서 대기를 하고 있는 걸까?
내게도 행운이 쏟아졌으면 좋겠는데...
아니, 누구에게나 인생의 황금기는 있다던데
대체 난 얼마나 더 기다려야 해?
혹시 지나가버린 거 아냐?

에잇,
뭔가가 묵직한 허탈감이 몰려오는 게
기운이 빠져

그래도 있지
또 그 사이로 뜻 모를 결론 하나도
마음 한가운데에 툭 떨어지네

그래, 생각해 보면
까짓 여태 별다른 큰 행운 없이도
이만큼 잘 해왔는데 뭐

곳곳에 숨은 행복 느끼며
힘들어도 그렇게 웃으면서
결국엔 해냈잖아

난 나를 믿어
앞으로도 행운 없이 행복을 느낄 자신은 있다고
그러니 그냥 지금처럼 계속 꿋꿋하게 나가보지 뭐

또 알아?
그리 열심히 살다 보면
생각지도 못한
내 차례가 불쑥 찾아올지

마치 대기 번호 3번이라는
핸드폰 너머의 저 소리처럼 말이야

아! 이제 상담 받아야 해
또 봐.

소소한 추억 - '돈가스'라는 책갈피

코로나에 걸렸을 때, 저를 가장 아프게 했던 건 다름 아닌 '입병'이었어요. 아프기 전부터 입이 헐어 있었는데 코로나 때문인지 아무리 약을 발라도 낫질 않더라고요. 해서 음식을 먹는 게 참 힘겨웠었습니다.

그런데 그 와중에 갑자기 돈가스가 먹고 싶더라고요. 평소 고기를 잘 먹지도 않는데 어째선지 그 새콤달콤한 소스가 자꾸만 생각이 나, 하루 종일 머릿속엔 돈가스만 둥둥 떠다녔어요. '입병 때문에 과연 먹을 수나 있긴 한가?'에 대해 내 이성이 온갖 데이터를 갖고 와, 나를 설득해도 그 동그랗고 바삭한 것이 자꾸만 저를 사로잡는 탓에 어쩔 수 없이 어머니께 부탁을 해 배달을 시켰습니다. 곧이어 벨 소리가 들리고 조금 있으니 어머니께서 제 방 앞에 음식을 두시곤 노크를 하셨어요. 떨리는 마음으로 문을 빼꼼히 열어 그것을 가져왔는데 아, 어찌나 행복하던지요. 그 특유의 향기가 어둡던 제 방을 천국으로 만든 순간, 다급히 포크를 쥔 제 손엔 이미 잘게 썰린 돈가스 한 조각이 꽂혀 있었습니다. 그러고는 드디어 입안에 넣으며 조심조심 씹어 삼키는데 정말이지 아픈 것도 다 잊을 만큼 끝내주는 맛이었어요. 그 즐거움에 한껏 웃으며 신나는 음악에 맞춰 콧노래까지 불렀다죠. 그리고 그 후엔 돈가스가 준 힘 덕분인지 회복을 빨리했습니다. 지금 생각해 봐도 골방에 갇혀 그러고 있는 제 모습이 참 우스꽝스럽지만 그땐 정말이지 아팠어도 행복했었어요.

살다 보면 이런 순간들이 있잖아요. 갑작스레 덮친 아픔에 당황스러운 그런 순간들이요. 좀 미리 알려주면 좋으련만 허락도 없이 불쑥 와선 내 삶을 막 어지럽혀요. 그래도 그 속에서 우리가 찾아야 할 건 순간의 불평, 불만이 아니라 어쩌면 작지만 기분 좋은 추억거리가 아닐까 싶습니다. 그것 하나로 내가 겪고 있는 지금의 이 아픔이 잘 견뎌지기도 하니까요. 해서 당신의 지금에 펼쳐진 삶의 페이지에 아픔이 적히고 있을지라도 그 속에 '자그마한 행복'이란 책갈피 하나를 꽂아주세요. 그럼 나중 되어 그 장면이 불쑥 펼쳐지더라도 그 책갈피 덕에 결국 웃음 짓게 될 테니까요. 되돌아봤을 때 그것은 불행이 아닌 즐거웠던 순간으로 기억되어 또다시 날 일으켜줄지도 모릅니다. 거창하지 않아도 돼요. 일상에서 놓쳤던, 하고 싶었지만 하지 못했던 소소한 그 일들을 늦기 전에 지금 시작해 보세요. 아기자기한 순간들이 많을수록 나의 삶엔 행복이 곳곳에 물들여질 테니까. 해서 그 아무리 험한 불행일지라도 그 속에서 나는 기쁨을 만들고 키우게 될 테니까요. 그런 나로 가꿔 그리 나를 이끌다 보면 어느 순간엔 알게 될 거예요. 나란 사람이 아주 멋지게 성장했다는 것을. 내 마음의 힘이 참 많이 강해졌다는 것을. 하여 그 어떤 순간이 오더라도 이젠 잘 이겨낼 내가 되었다는 것 또한.

에필로그

'소소' 저의 필명입니다. 일상 속 소소함이 주는 행복을 놓치지 않으며 글을 쓰고 싶단 다짐이 스며있어요. 그렇다 보니 잠시 스쳐가는 생각들도 잊지 않기 위해 무조건 적는 것이 습관이 되어버렸습니다. 그런 탓에 글들이 모두 단문이에요. 해서 어떤 분들은 글이 짧은 탓에 제게 시인이 아니냐고 묻곤 하시는데 글쎄요, 저는 감히 제 자신을 시인이라고 소개하진 못할 것 같아요. 사실 형식도 제멋대로이고 때론 일기 같기도 또 때론 누군가에게 쓰는 편지 같기도 해서 그저 '일상을 이야기하는 사람.'이라고 밖엔 말할 수 없을 것 같아요. 그리고 그 속엔 지금이란 이 시간을 살아가며 조금씩 식어진 나와 당신의 마음이 다시 따뜻해지길 바라는 소망도 함께 포함되어 있습니다. 책 제목 또한 그런 의미에서 지어진 거고요. 해서 이 책이 부디 당신의 마음을 달굴 재료가 되어주길 바랍니다.

하지만 그래도 있죠. 이 책을 다 읽으신 뒤엔 바라건대, 당신의 책장 어느 한편에 고요히 머물기만을 바라요. 자주 펼치진 않으셨으면 좋겠어요. 왜냐하면 이 책을 펼쳤다는 건 당신의 마음이 차갑게 식었다는 뜻일 테니까, 어쩜 상처를 받아 위로가 필요하단 뜻일 수도 있으니까요. 하여 이 책이 생각나지 않을 만큼 당신의 삶이 행복하길 바랍니다. 더는 다치지 않고, 무너지지 않고 그렇게 딱 37.5도로 포근하게 말이에요.

네 마음의 온도가 37.5도였으면 좋겠어

발 행 | 2024년 01월 30일
저 자 | 소소
펴낸이 | 한건희
펴낸곳 | 주식회사 부크크
출판사등록 | 2014.07.15.(제2014-16호)
주 소 | 서울특별시 금천구 가산디지털1로 119 SK트윈타워 A동 305호
전 화 | 1670-8316
이메일 | info@bookk.co.kr

ISBN | 979-11-410-6952-0

www.bookk.co.kr